すぐできる自力整体

矢上真理恵／監修　矢上 裕

ダイヤモンド社

たった3分「ゆるめる」。
それがきっかけで私の人生は変わりました。
これまでの私はがんばりすぎて
体はカチカチに硬く冷え
痛みや不調に悩まされ
動けずにいました。
そんな私を救ってくれたのが
「自《じ》力《りき》整体」だったのです。
あなたもきっと変われます！

たった3分で痛みや
コリがラクになる！

「自力整体」とは、人の手を借りずに整体施術のプロの技法を自分におこなうメソッドです。鍼灸《しんきゅう》、整体、ヨガの要素を構成した動きで、関節や筋肉をほぐして、痛み、コリ、不定愁訴《ふていしゅうそ》を解消していきます。

私は海外在住時代、ヨーロッパ、イスラエル、カナダなど、世界各地でワークショップを開催し、帰国。現在は考案者である父とともに、日本を拠点に国内外の生徒さんに「自力整体」を伝えています。

じつは私自身も「自力整体」に救われた一人です。何もかもがんばりすぎて心身のバランスをくずした時、幼少期から父の横で見てきた自力整体をやってみたのです。すると、**冷たく硬かった体が温かさを取り戻し、体がすっとラクに。体調は復活し、人生を取り戻しました。**その経験から「自力整体」指導者の道を選んだのです。

今回、なぜ私がこの本を世に出したいと思ったのか、少し説明させてください。

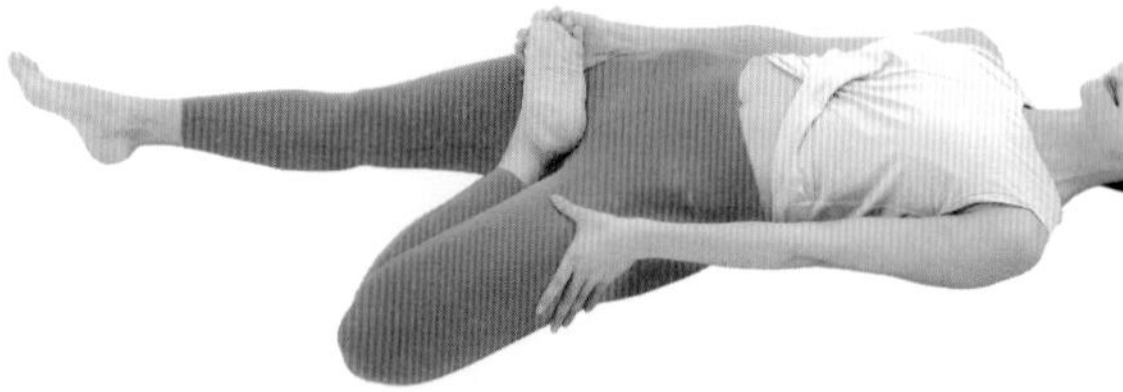

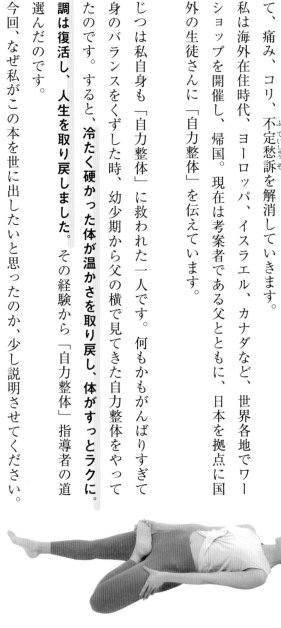

私たちの教室では、90分のレッスンをおこなっていますが、仕事や育児など、なんらかの理由で教室に通いたくても通えない方がいらっしゃいます。

そこで、かつての私のように、今まさに痛みや不調に苦しむ人を救いたいとの思いから、**自宅やオフィスでもすぐできる手軽な自力整体を組み立てました。**

たとえば、たった3分でラクになるレッスンをはじめ、今すぐ痛みを和らげるワーク、ゆがみをじっくり整える20分のロングレッスンなど。これらのプログラムは、確実に**痛み、コリ、冷え、疲労、不眠、便秘、女性特有の悩み**を解消します。

どんな方でも自力整体が手軽にすぐできるポイントは3つあります。

1 簡単にできる　立ったまま、座ったまま、寝そべったままラクにできます。

2 即効性　整体のプロの手技を応用しているので、効果をすぐ実感できます。

3 気持ちがよい　東洋医学の経絡《けいらく》図（32ページ）を痛みやコリの道標《みちしるべ》にして、血液やリンパ液が詰まりやすい場所をほぐし、気持ちよく痛みを取り除きます。

では自力整体を実践すると、体にはどんな変化が訪れるのか？

体験された国内外の生徒さんのリアルな声を紹介しましょう。

▼自力整体で体はこう変わる！

- 10年間苦しんできた慢性痛から解放された
- 脱力できて、クタクタに疲れた体が癒《い》やされる
- 7年間不眠症に悩まされてきたが、7年ぶりにぐっすり眠れた
- 翌朝、排便がどっさり！　ひざの痛みも消えた
- 健康的にやせて、偏頭痛や生理不順もなくなった
- 念願の子どもを授かることができた！
- 初産《ういざん》の分娩は36時間苦しんだのに、第二子の分娩は2時間のスピード出産！
- 食欲不振だったが、食欲が戻り、生きる気力が湧いてきた！
- 脊柱管狭窄症《せきちゅうかんきょうさくしょう》の診断を受けたが、痛みが和らぎ手術を回避できた　など

痛みやコリ、不定愁訴は、東洋医学をベースとする自力整体では、「気・血・水」の流れの悪さによるものと考えます。その結果、体は冷えて硬くなり、不調が現れるというわけです。自力整体をおこなうことで気・血・水の流れは改善され、温かく柔らかい体になり、健康で若々しい体を取り戻します。

オランダでおこなった自力整体ワークショップ

鍼灸《しんきゅう》から生まれた自力整体

そもそも自力整体のはじまりは、**「今まさに痛みや不調に苦しむ人を救いたい」**という願いのもと、私の父・矢上裕《ゆう》が１９８９年に考案しました。

父は幼少期から、病気がちな母親を助けたいのに助けられないというジレンマを抱えていました。大学生になった時、父は中国の鍼灸に関する一本の映画に出合い、鍼治療に影響を受けます。大学を辞めて鍼灸の道へと進み、20代で開業。

評判の鍼灸院となり全国から患者さんが集まるようになりました。しかし、ふたたびその人たちは痛みをぶり返し来院。そんな時、あるアイデアが浮かびました。

鍼灸院を訪れる**リピーターの患者さんには、５つの特徴があります。**

１　姿勢が悪い
２　座りっぱなしで体を動かさない
３　治療家に頼りっぱなし
４　胃が疲れている（食べすぎ、飲みすぎ）
５　呼吸が浅い

このことから、治療よりも患者さんご自身の生活習慣の改善が大事だと気づいたのです。そして自分でおこなう健康法を開発・研究することに決めました。ヒントを得るためにヨガと断食を学び、9年間指導者として経験を積みます。

　その後「自力整体」が誕生、35年経った現在も多くの方に愛され続けています。

　自力整体はとても体にやさしく、痛くありませんから、どなたでも実践できます。

　あなたもこの本で自力整体を体験して、健康で美しい体を手に入れましょう。

1976年、自力整体考案者である私の父・矢上裕（後列右端）の鍼灸院開業当時。スタッフとともに

現在、自力整体指導者も育成。国内や海外で約500名が活躍

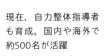

自力整体なら 自分で痛みやコリを解消できる！

　自力整体はプロの整体技法を、日常生活の中で手軽にできるように開発されたものです。では実際どのようにおこなうのか見ていきましょう。

たとえば、腰痛や肩コリを解消したい時（ケース１）。プロの整体技法では、長めのタオルを腰に引っ掛け、硬く縮んだ腰まわりの関節や筋肉をじっくりのばし広げたりします。この施術を自力整体でおこなう場合は、足首にタオルを引っ掛け腰をゆっくり持ち上げます。たったこれだけで、プロの整体技法と同じ効果を得ることができるのです（詳細１０８ページ）。

　他にも、目の疲れ・首コリ・頭痛を解消したい時（ケース２）。プロの整体技法は患者さんの後頭部にある「風池《ふうち》のツボ」を指圧したりします。この施術を自力整体でおこなう場合は、自分の親指を「風池のツボ」にあて、お尻をゆっくり持ち上げ自重でじんわり加圧します（詳細１０９ページ）。

　どちらの自力整体もとてもカンタンですよね？　一瞬で血流やリンパの流れがよくなり、痛みやコリを和らげることができるので、知っているととても便利です。

整体のプロに頼らず自分で痛みやコリを解消できる!

＊整体施術：矢上裕

ケース1 腰痛・肩コリ解消

自力整体

自分でできる!

タオルを足首に引っ掛け腰をゆっくり持ち上げる(108ページ)

プロの整体技法

長めのタオルを腰に引っ掛け関節や筋肉をのばす。便秘も解消

ケース2 目の疲れ・首コリ・頭痛解消

自力整体

自分でできる!

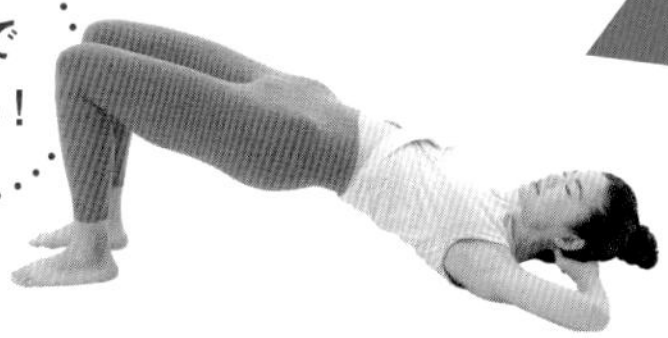

親指を「風池のツボ」にあて、お尻をゆっくり持ち上げ自重で加圧（詳細109ページ）

プロの整体技法

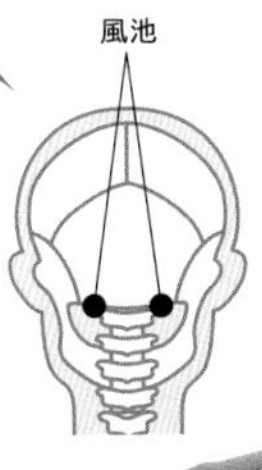

「風池《ふうち》のツボ」を指圧

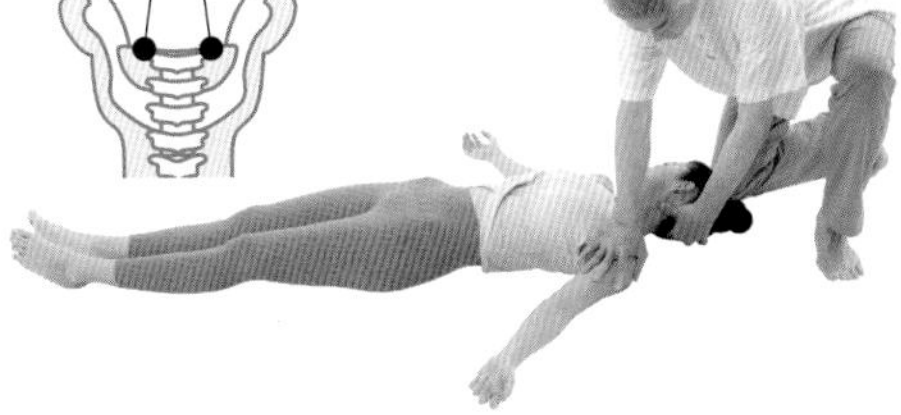

自力整体は体が硬くてもできる！効き目を感じる3つのポイント

自力整体を写真で見ると「私は硬くてできない！」と、最初からあきらめてしまう方もいるかと思います。でも、自力整体は体が硬い人こそ、心地よい刺激を感じやすく、効き目がわかりやすいのです。

だれでも効き目を実感できるポイントは、次の３つです。

1 動きが途中で止まってもOK！

「体が硬くて、これ以上はムリ！」と感じたら、動きを止めてもＯＫ。なぜなら、その刺激自体が効いているサイン。「私はこの部位が硬くなっているんだ！」と硬さに気づくことができます。少しずつ、さぐりながらで問題なし。

2 硬い人はタオルを使ってサポート

体が硬くて効き目がよくわからない人は、タオルを使ってサポートすると、心地よい刺激を感じることができます。たとえば、次ページの写真のように足先にタオルを引っ掛けて引き寄せたりします。

3 心地よい刺激を感じられたら、それが正解！

自力整体は、ヨガのようにポーズを完成させるのが目的ではありません。緊張している関節や筋肉を刺激するのが目的ですから、「この刺激は効いている！」「じんわりとコリがほぐれて気持ちがいい！」と心地よさを感じられたら、それが正解です。

最初は硬かったけれど、やってみたら、あのつらかった慢性痛や不調が気にならなくなっていた、というのがゴールです。

何度やっても硬さや痛みは変わらないということはなく、必ず変わっていきます。

そこを信じて、「刺激を味わう」感じで続けてみてください。

あなたも、この本で自力整体を体験し、健康な体を手に入れましょう！

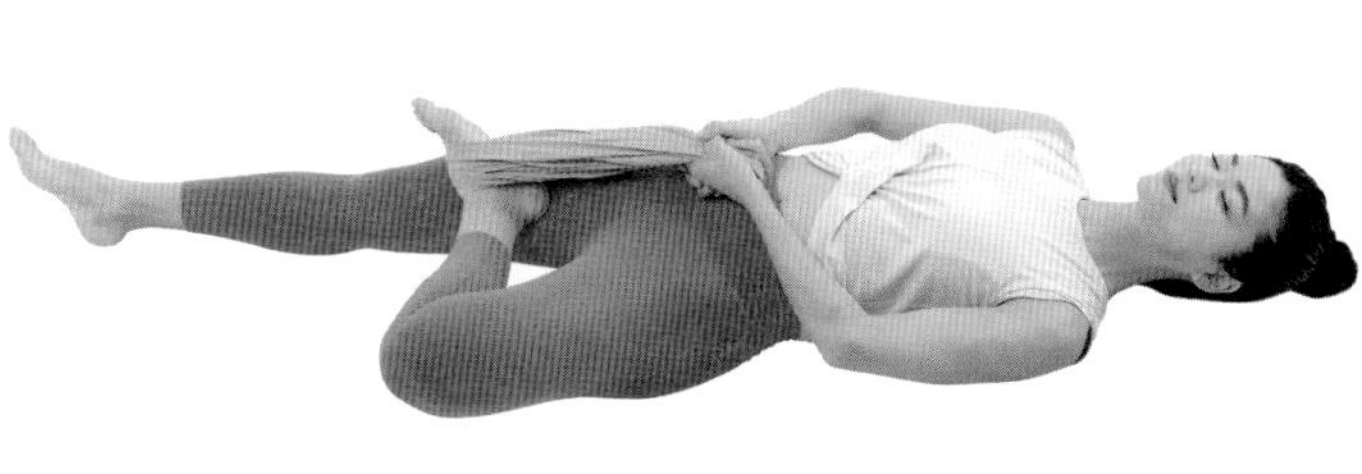

最後までできなくても、刺激を感じたらOK!
体が硬くて効き目がわからない時はタオルでサポート（121ページ）

レッスンの概要紹介

この本の使い方&動画ガイド

Lesson 1

自力整体はなぜ今すぐラクになるのか？

東洋医学をベースに痛みやコリを癒やすメカニズムを解説。また、知っていると役立つ経絡図や、効果がアップする食事法、体のゆがみがわかるセルフ診断も。

Lesson 2

気になる不調を今すぐ解決！　悩み別「自力整体」

とにかく今すぐ痛みやコリを解決したい方にオススメのワーク。症状別に紹介。

Lesson 3

【動画つき】効果倍増！　驚くほどほぐれる4つのコース

しっかりほぐす4つのコース（次ページ）。時間やシーンでセレクト。どのコースも経絡やツボを刺激しながら血流改善。痛みやコリ、ゆがみを取り除きます。

Lesson 4

自力整体でお悩み解決！　知ってると役立つQ&A

慢性的な痛みや不調に悩まされている人へ、自力整体の視点でアドバイス！

＼ 細かい動きもわかりやすい！ ／

Lesson3は
たっぷり動画でも紹介！

動画視聴方法

QR コードを読み取りリンク先の動画再生ページよりご覧ください

時間やシーンで選べる4つのコース

連続しておこなってもOK！（約35分間）

四つんばいでほぐす
5分コース

詳しくはP88より

座ってほぐす
3分コース

詳しくはP84より

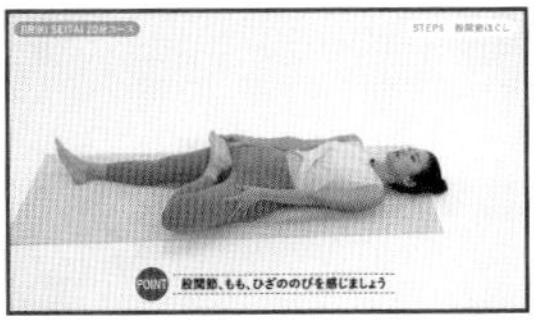

あおむけで骨盤調整
20分コース

詳しくはP106より

立ってほぐす
7分コース

詳しくはP94より

自然にやせた!

さんのすごい結果!

※3ヵ月間、「自力整体」と「整食法」を実施した結果です。
体験談は134ページ参照（年齢は2023年8月末現在）。

体重6kg減! つらかった気管支喘息も改善!

高畑《たかはた》瑞《みず》恵《え》さん　42歳　身長156cm

After
53.9kg
【体重】

Before
59.9kg
【体重】

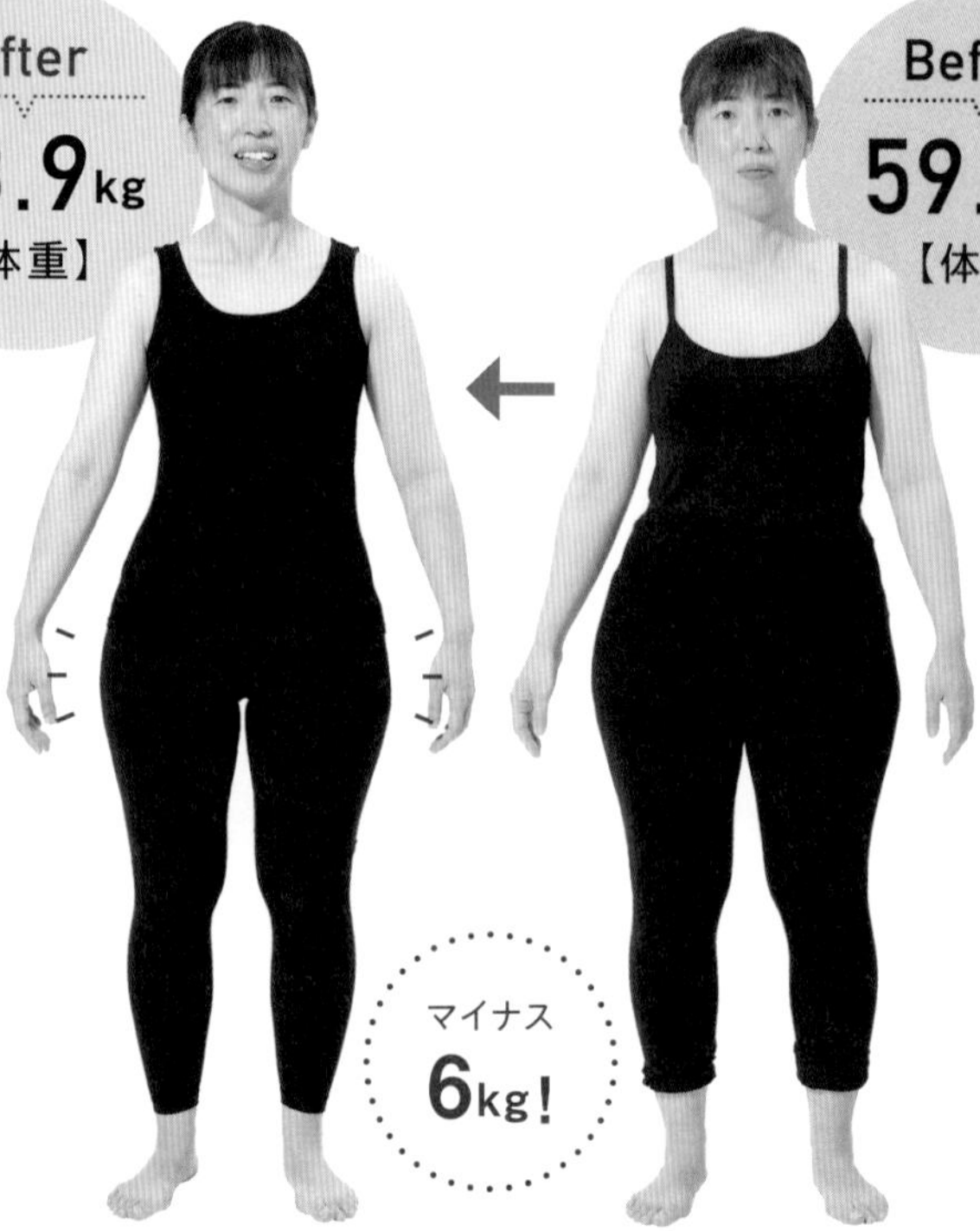

下半身太り改善!

マイナス
6kg!

ウエスト
10cm減!
横顔もスッキリ!

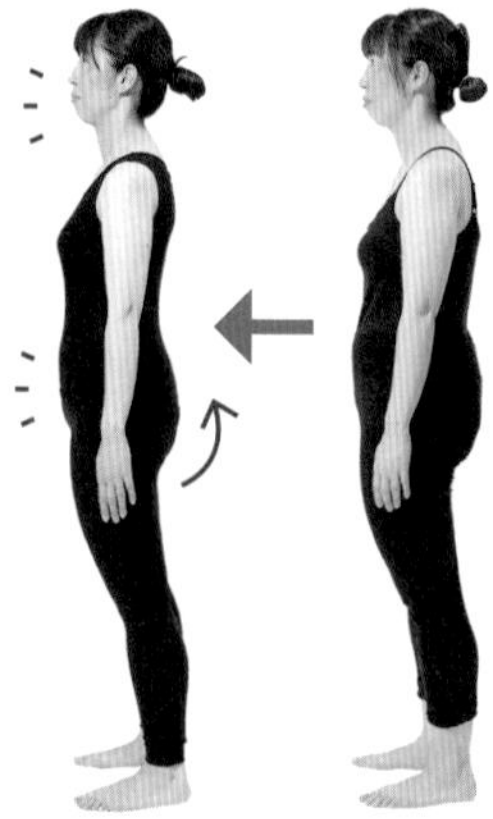

ヒップ6cm減で
スッキリ!
体が軽く
なりました!

下半身太りで
ポロシャツが
ずり上がる
ほどでした

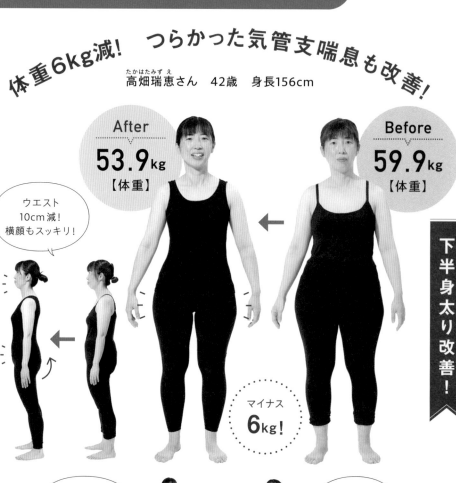

ゆるめるだけで、

【自力整体ダイエット】体験者

体重6.2kg減！　ゆがみやアトピーも緩和！

櫻《さくら》井《い》史子《ふみこ》さん　44歳　身長158cm

横から見た
ボディラインも
スッキリ！

After
69.5kg
【体重】

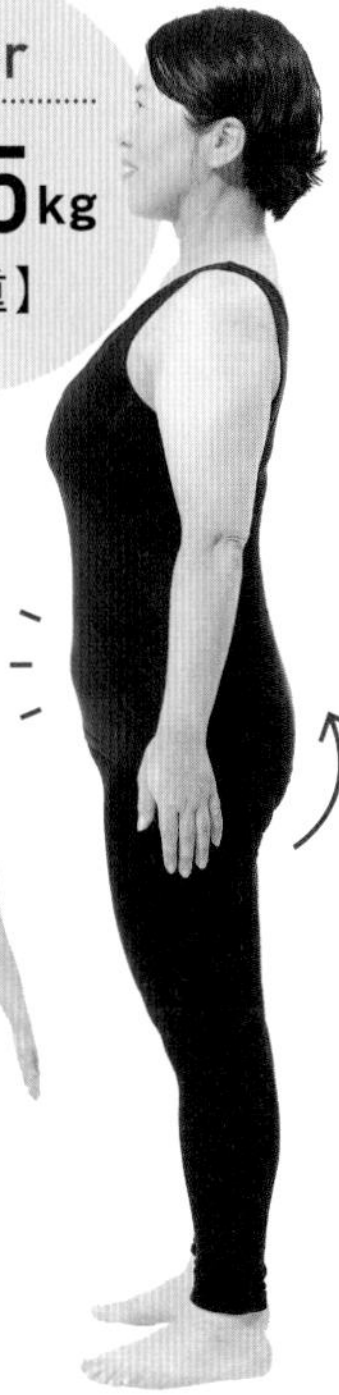

Before
75.7kg
【体重】

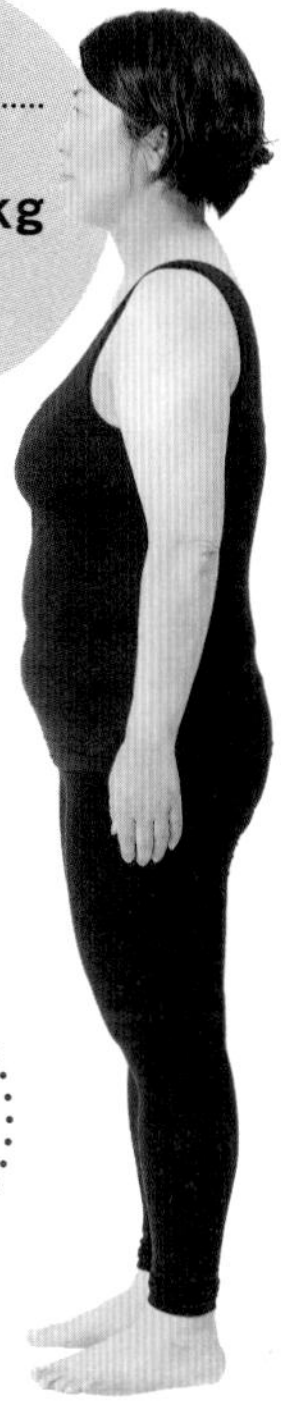

マイナス
6.2kg！

骨盤のゆがみも解消！

首の詰まりも
とれました！

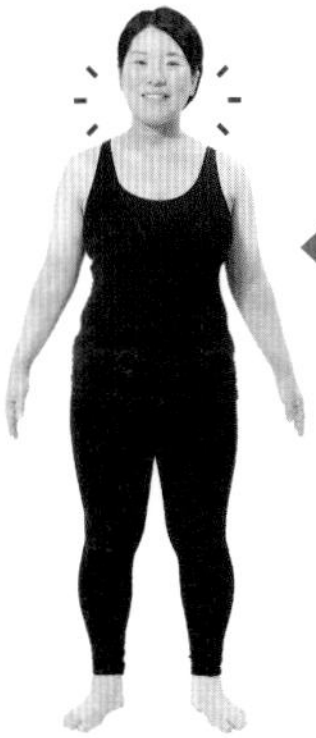

体が柔軟になり、
骨盤のゆがみ解消！
あおむけで
熟睡できるように！

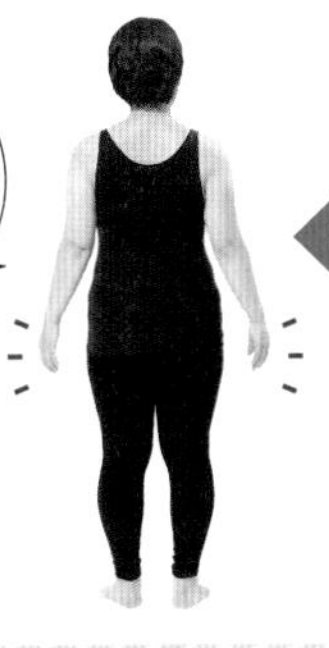

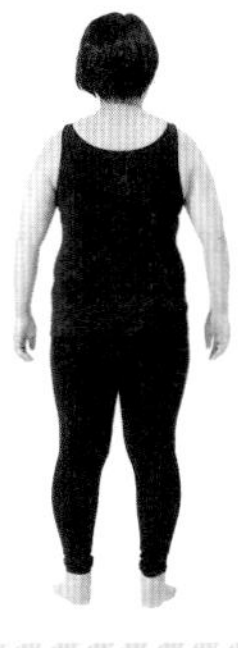

全身はカチカチに
硬く、骨盤のゆがみで、
あおむけで
眠れませんでした

体重8.9kg減! 息子との富士登山も達成!

堂上研《どのうえけん》さん　47歳　身長183.5cm

体のゆがみも解消!

After
76.2kg
【体重】

Before
85.1kg
【体重】

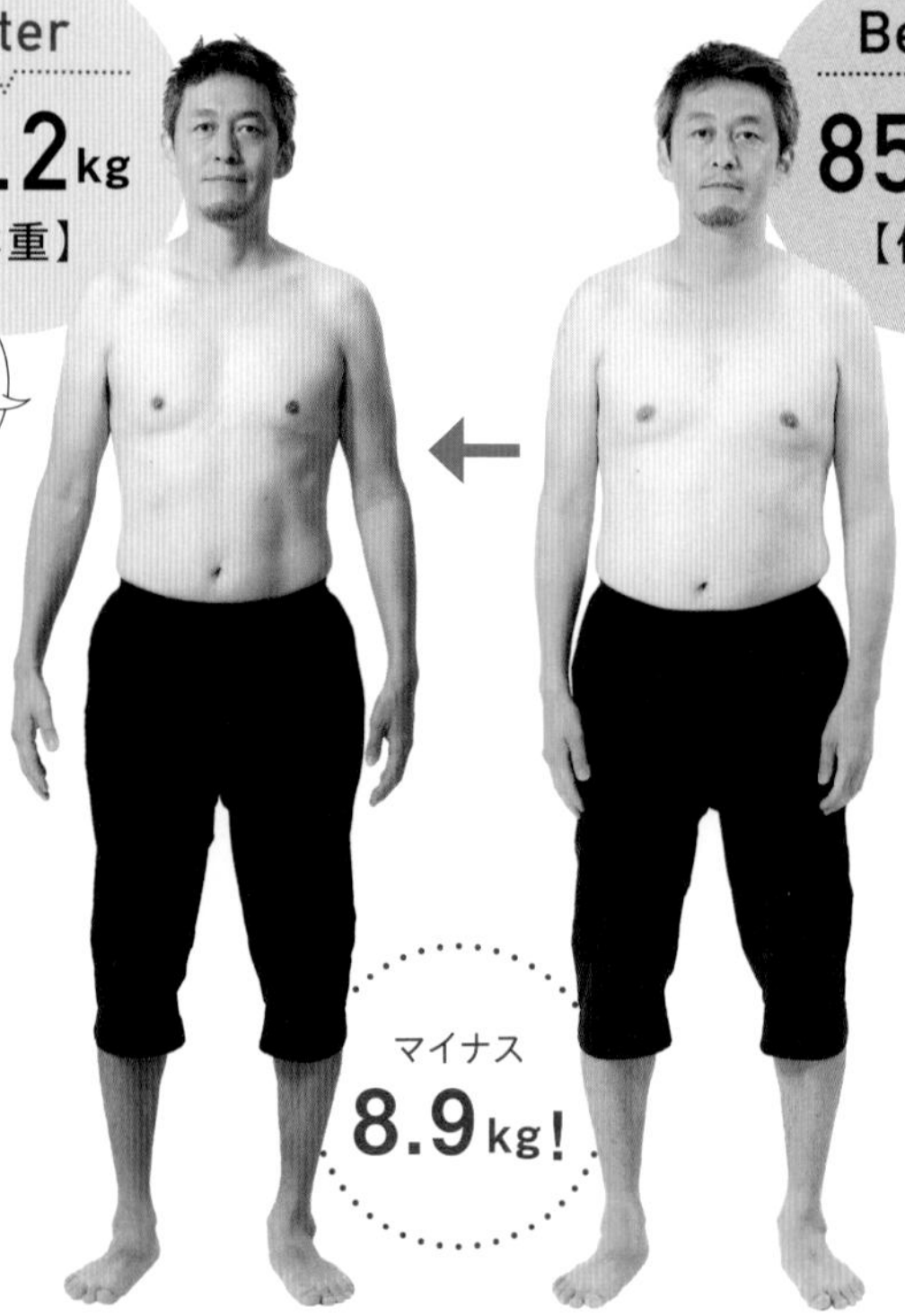

マイナス
8.9kg!

服を着てお腹が出ないのがうれしい!

顔も体もスッキリ!

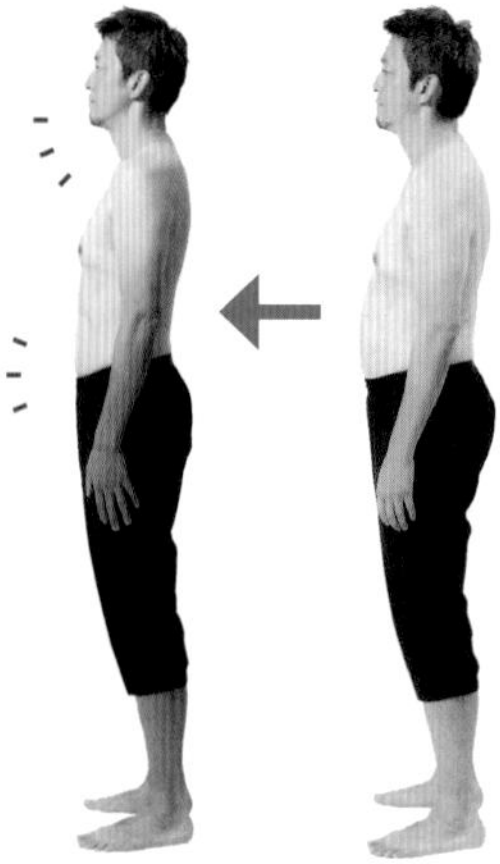

たっぷり贅肉がつき、体も左に傾いていました

体が柔軟になり、左への傾きも解消!

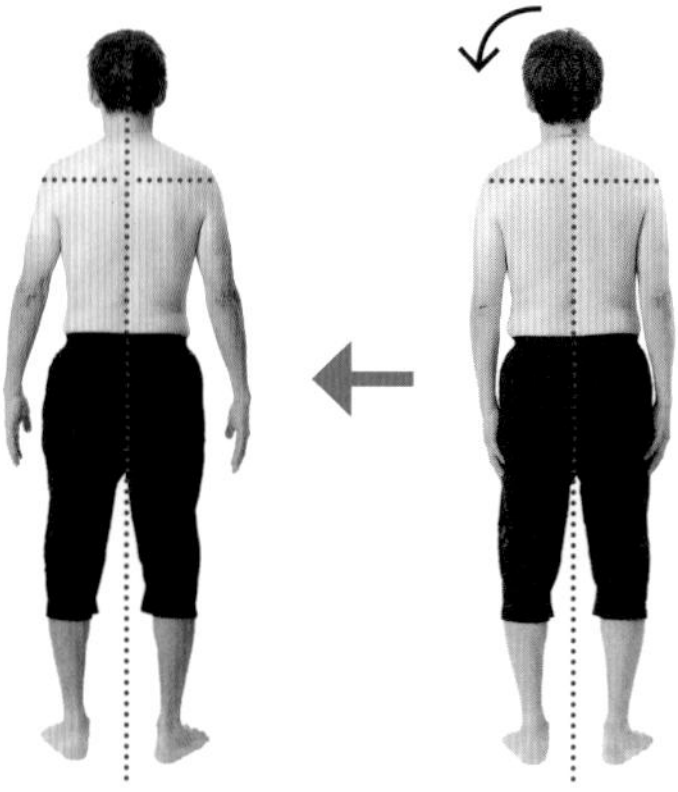

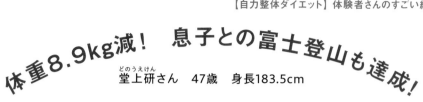

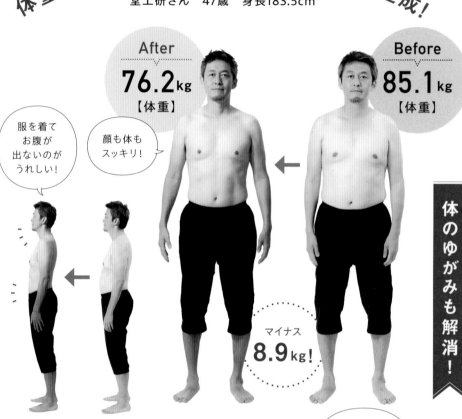

ウエスト11cm減！　ボディラインが劇的に変化！

清《し》水《みず》冴《さ》奈《な》さん　23歳　身長155cm

After

54.9kg

【体重】

左へ傾いていた体もまっすぐ！

Before

57.1kg

【体重】

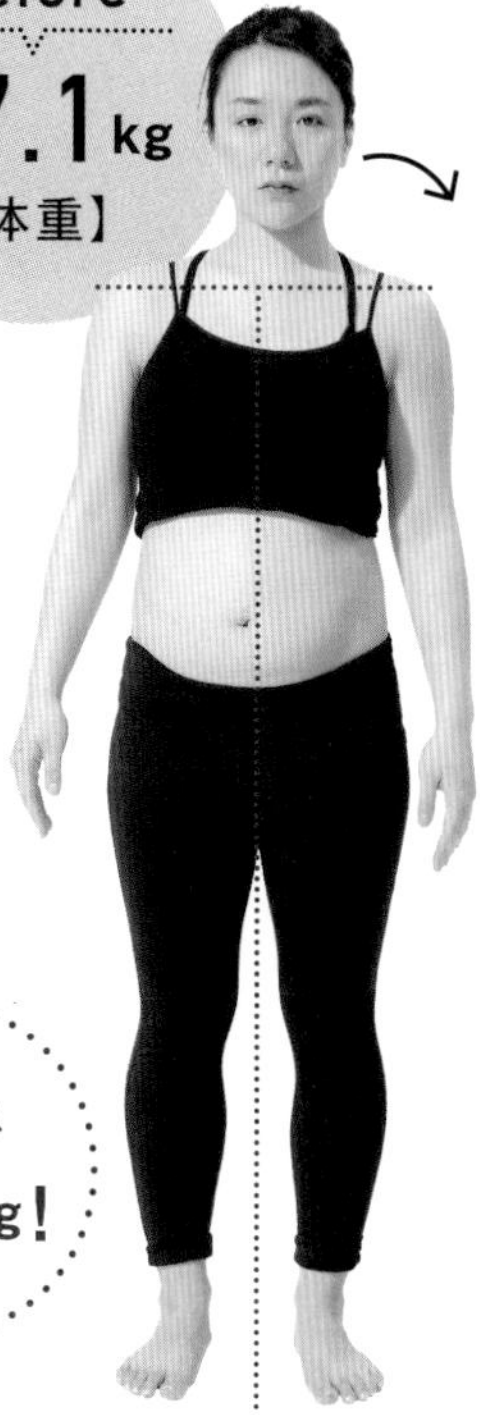

マイナス

2.2kg！

左右のアンバランスも改善！

ぽっこりお腹もスッキリ！

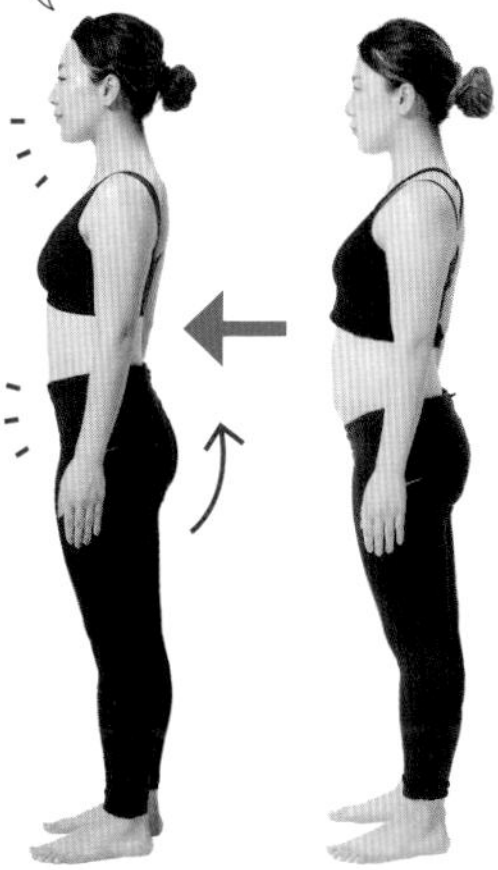

背中のラインがスッキリ！

Before

背中、腕、お尻もぽっちゃりしていました

After

お尻も一回り小さくなりました！

冷たくて硬い体を克服して体重5.7kg減！

島崎和恵《しまざきかずえ》さん　55歳　身長170cm

After
75.7kg
【体重】
Before
81.4kg
【体重】
後ろ姿もスッキリ！
猫背解消、アゴのラインもスッキリ！
マイナス
5.7kg！
体も柔らかくなった！
平熱は36度台になり、前ももの筋肉がつかめるほど柔軟に！
冷え性で平熱は35度台。ガッシリ体型でやせにくい体質でした

すぐできる **自力整体**

目次

PROLOGUE

たった3分で痛みやコリがラクになる！ …… 2
● 自力整体で体はこう変わる！ …… 4
● 鍼灸《しんきゅう》から生まれた自力整体 …… 6
自力整体なら自分で痛みやコリを解消できる！ …… 8
自力整体は体が硬くてもできる！ 効き目を感じる3つのポイント …… 10
レッスンの概要紹介 この本の使い方&動画ガイド …… 12
ゆるめるだけで、自然にやせた！【自力整体ダイエット】体験者さんのすごい結果！ …… 14

LESSON 1 自力整体はなぜ今すぐラクになるのか？

自力整体は東洋医学がベース 経絡《けいらく》刺激で痛みやコリを和らげる …… 24
● 自律神経も整え、ぐっすり熟睡できる …… 25
すぐできる理由 詰まりやすい場所をピンポイントでほぐす …… 26

様々な不調を解決！　骨盤のゆがみ調整でより体はラクに …… 28
熟睡できて便秘やダイエットにも役立つ！　驚くほど不調が和らぐ「整食法《せいしょくほう》」をプラス …… 30
12の経絡 …… 32
コリや痛みの正体がわかる　体のゆがみチェック！ …… 38

LESSON 2

気になる不調を今すぐ解決！
悩み別「自力整体」

自力整体で効果的にゆるめる8つのポイント …… 42
- 肩コリ ― 背中ほぐし …… 44
- 腰痛 ― お尻ほぐし …… 46
- 腰痛・生理痛・ひざの痛み ― 股関節ほぐし …… 48
- 坐骨《ざこつ》神経痛・腰痛 ― 腰のユラユラほぐし …… 52
- ひざの痛み ― 足首のねじれ直し …… 54
- ウォーキングで現れる足腰のコリ・痛み ― 片足前屈 …… 56
- 四十肩・五十肩 ― かべ腕立てふせ …… 58
- 首コリ ― 首ほぐし …… 60
- ストレートネック ― ストレートネックのばし …… 62
- 便秘 ― 鼠径《そけい》部のばし …… 64

■冷え・むくみ——足先ほぐし……66
■猫背・骨盤後傾——お尻の筋肉を鍛えるエアー縄跳び……68
■目の疲れ・かすみ目——眼筋《がんきん》ほぐし……70
■自律神経の乱れ・高血圧——井穴《せいけつ》の指圧……72
■偏頭痛・耳鳴り——乳様突起《にゅうようとっき》の持ち上げ……73
■呼吸が浅い——30秒呼吸法……74
■熟睡できない・更年期《こうねんき》の不調——下半身の脱力……76
■目覚めが悪い・だるい——目の刺激……78
■緊張・不安・パニック障害——膻中《だんちゅう》のツボ押し……80

LESSON 3

【動画つき】効果倍増！ 驚くほどほぐれる4つのコース

どのコースも血流改善、痛みやコリ、ゆがみを解消！
4つのコースを効果的におこなうヒント……82
▼座ってほぐす3分コース……84
▼四つんばいでほぐす5分コース……88
▼立ってほぐす7分コース……94
▼あおむけで骨盤調整20分コース……106

注意
※骨や関節などに変形のある方や治療中の方、痛みのある方、妊娠中の方、持病のある方は、本書を実践する前に、かかりつけ医にご相談ください。

LESSON 4

自力整体でお悩み解決！ 知ってると役立つQ&A

Q1 自力整体をやっても「足腰の痛み」がよくなりません！ …… 126
Q2 「便秘」でお腹のハリがつらい！ 食物繊維をたっぷり摂ってるのにナゼ？ …… 127
Q3 自力整体は「ダイエット」もできますか？ …… 128
Q4 ひどい「生理痛」に悩まされています …… 129
Q5 夜中トイレに行きたくなったり何度も目が覚めてしまう …… 130
Q6 自力整体をやっても熟睡できない。どうしたらよいですか？ …… 131
Q7 「ぎっくり腰」をぶり返してつらい！ …… 132
Q8 自力整体の「骨盤の矯正効果」を確認する方法はありますか？ …… 133
体験談 3ヵ月実践した体験者さんたちのすごい結果！ …… 134
EPILOGUE …… 142

LESSON

1

自力整体はなぜ今すぐラクになるのか？

東洋医学をベースに痛みやコリを癒やすメカニズムを解説。
また、知っていると役立つ経絡図や、
効果がアップする食事法、
体のゆがみがわかるセルフ診断も！

自力整体は東洋医学がベース

経絡《けいらく》刺激で痛みやコリを和らげる

東洋医学では、**「痛みを発する場所は『気《き》』が滞《とどこお》っている。そこを流せば痛みは消える」**と教わります。

「気」とは、人間の体を動かすエネルギーのようなもの。「気・血・水」の三本柱が、私たちの健康を支えていますが、「気」が低下すると、「血」「水」のめぐりも悪くなり、痛みや不調が発生するとされています。

「気」が流れる筋道は**「経絡」（32ページ）**と呼ばれ、全身に12本存在します。経絡は体中をめぐる川の流れのようなものだと考えるとわかりやすいでしょう。この経絡の流れが滞ると、よどんだ場所に邪気《じゃき》（病をおこす悪い気）が溜《た》まり、そことつながる経絡上に不調が出ると考えます。この邪気を押し流すには、経絡を刺激して、せき止められている流れを開放することです。

これをおこなうのが自力整体です。このことを理解して本書のワークをおこなうと、より効果的に実践できます。

自律神経も整え、ぐっすり熟睡できる

自力整体は、痛みやコリのある場所に対応する経絡を刺激して、痛みを鎮《しず》めます。

そもそも痛みやコリが発生する原因は、姿勢の悪さや運動不足などいくつかありますが、意外と知られていないのが**「自律神経の乱れ」**です。たとえば、日中活発になる自律神経である「交感神経」が、ストレスなどで昼夜かまわず過剰にはたらくと、血管が収縮して、そこに痛みを発する物質が溜まります。すると経絡の流れが滞り、体のどこかに痛みが出るというわけです。

経絡は、内臓や自律神経と深い関わりがあります。ですから、胃腸を休めたり、自力整体で「気・血・水」の流れを促すことで、交感神経のはたらきが正常になり、痛みやコリを鎮めることができるというわけです。とくに夜おこなえばリラックスモードがはたらき、「副交感神経」が優位になって、ぐっすり熟睡できます。

親指を刺激して痛みやコリをとるワーク（85ページ）

すぐできる理由

詰まりやすい場所をピンポイントでほぐす

なぜ自力整体は「すぐできる」のか？　それは、**とくに詰まりやすい経絡の通り道を刺激したり、筋肉や関節が硬くなりやすい場所をピンポイントでほぐして、痛みやコリを和らげる**からです。症状が出た場所をやみくもにもんだりするよりも効果的です。

たとえば、肩コリなら手首を刺激したりします。これは手首に経絡やツボ（「気」を流すスイッチのような存在）が集中しているからです。自力整体でおこなう場合、図1のワークのように、手の甲を床におき、軽く体重を乗せながら体をゆすり手首を刺激するだけです。たったこれだけで肩コリのほか、眼精《がんせい》疲労、偏頭痛、肩関節痛、ぎっくり腰、生理痛など婦人科系のトラブル、股関節痛、ひざの痛みまで和らげます。

12本の経絡の通り道は、32ページで詳しく紹介します。症状が出たら、ほぐす場所の目安にしてご活用ください。しかし慣れるまでは、プロの経絡治療家ではない限り、経絡を正確に見つけてほぐすのは至難の業《わざ》だと思います。そこで、知っていると役に立つのが、「気がせき止められる10の関門《かんもん》」と呼ばれる詰まりやすい場所です（図2）。**ここは経絡の通り道であり、血流やリンパの流れが詰まりやすい場所でもあります。**ここを意識しながら自力整体をおこなうと、より痛みやコリは和らぎます。

＼ 図1 ／

詰まりやすい手首を刺激するワーク（88ページ）

図2　詰まりやすい場所

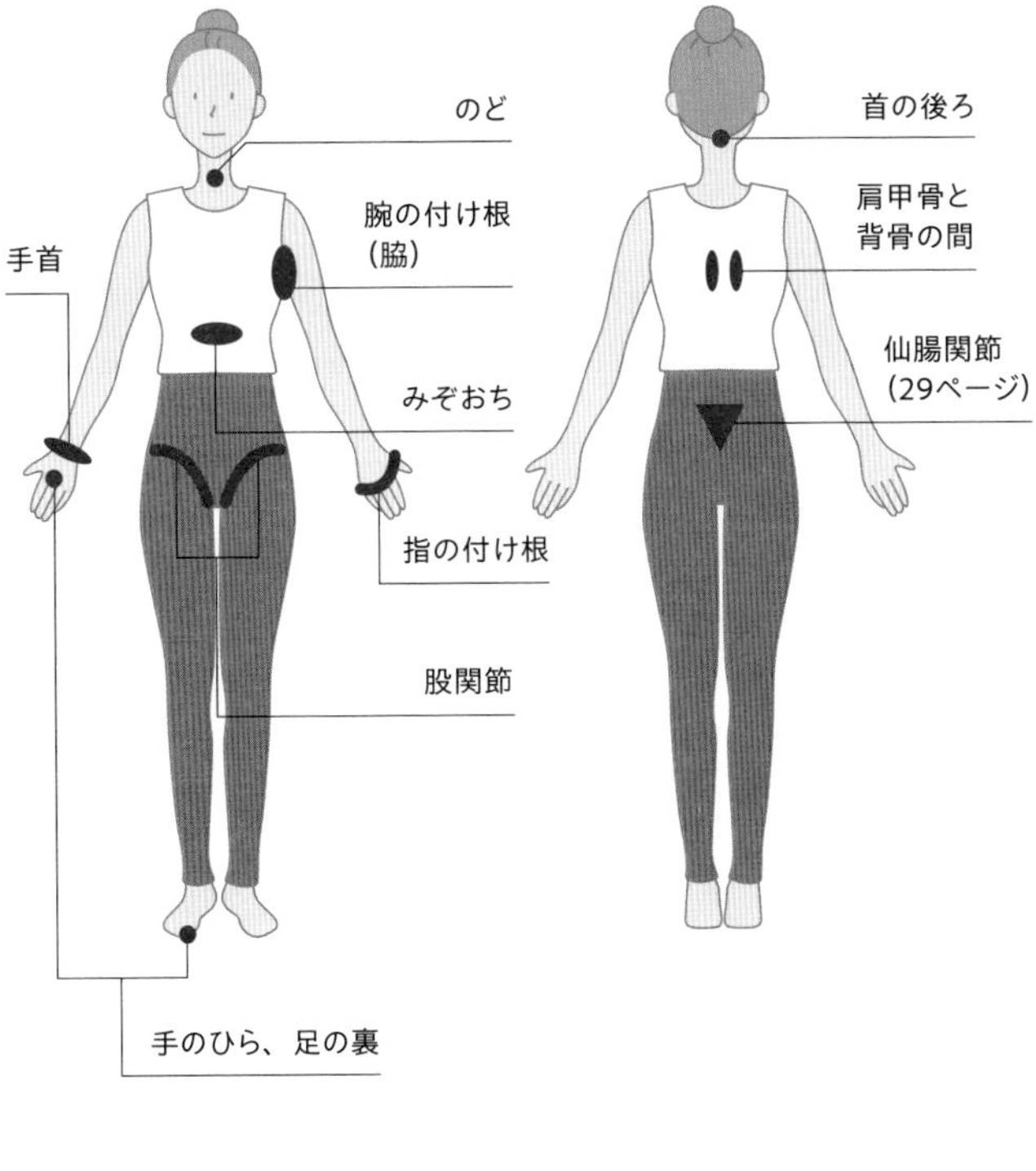

様々な不調を解決！

骨盤のゆがみ調整でより体はラクに

よく生徒さんから「自力整体は関節をバキバキと矯正《きょうせい》する動きがないのですが、なぜゆがみを調整できるのですか？」という質問を受けます。答えは、先ほどの経絡刺激にあります。経絡刺激で筋肉をほぐすことは、縮んだ脊髄《せきずい》神経の解放にもつながり、骨格のゆがみも調整できるというわけです。

しかし、そもそも骨格のゆがみの原因は、座る時に脚を組んだり、猫背のような悪い姿勢を続けるなど、偏った筋肉の使い方です。**自力整体では「骨盤の調整」を重要視しています**。なぜなら骨盤は人体の骨格のベースであり、骨盤のゆがみは全身に影響するからです（図3）。首コリ・肩コリ・腰痛・ひざ、足首の痛みのほとんどは、骨盤のゆがみです。骨盤の調整は様々な不調の予防・改善に役立ち、体が驚くほどラクになります。

女性の場合はとくに、**骨盤のゆがみは生理痛、ＰＭＳ（月経前症候群）、生理不順、不妊、難産、婦人科系のトラブル、更年期《こうねんき》不調につながります**。骨盤には「仙骨」と「腸骨」があります。その2つを結ぶ**「仙腸《せんちょう》関節」**（図4）は、約28日間のサイクルで、開いたり、閉じたりを繰り返しています。正常な仙腸関節は排卵日から生理に向かって開き、生理が終わると次の排卵日に向かって閉じていく。しかし骨盤がゆがむと仙腸関節の開閉が鈍くなり、婦人科系の痛みや不調が出やすくなります。

「あおむけで骨盤調整20分コース」（106ページ）をしばらく続けてみましょう。

図3　骨盤がゆがむと痛みが出る部位

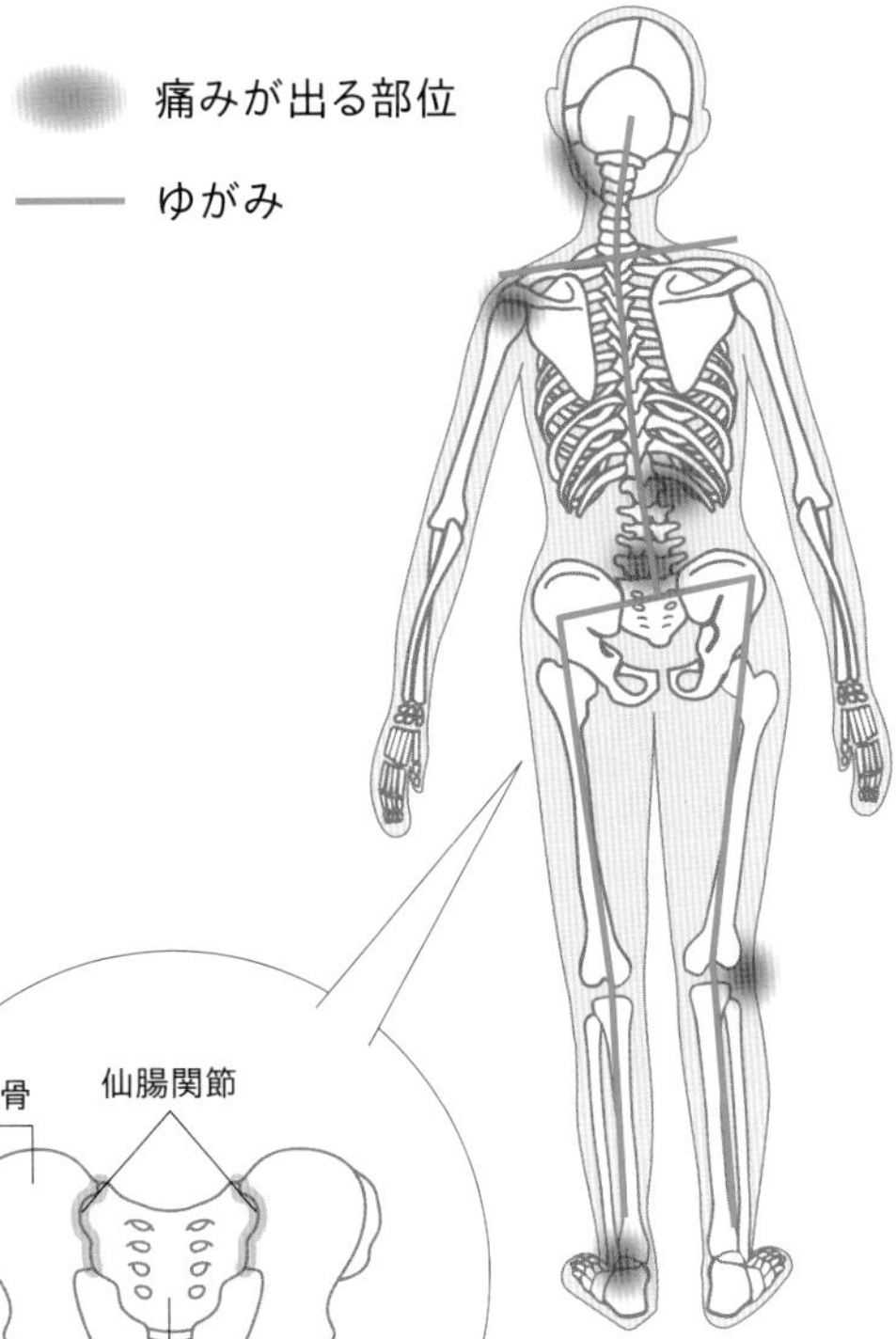

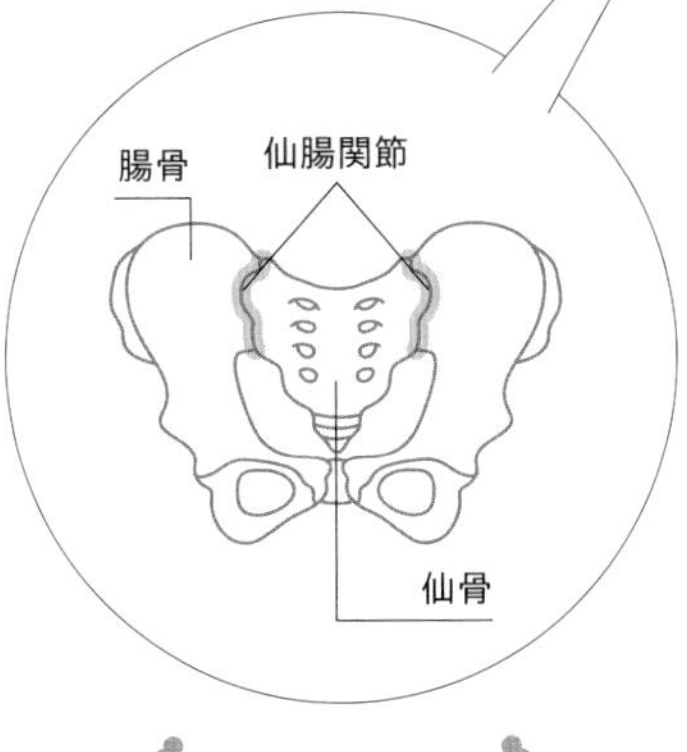

仙腸関節

図4

熟睡できて便秘やダイエットにも役立つ！

驚くほど不調が和らぐ「整食法《せいしょくほう》」をプラス

食べすぎ、飲みすぎによる**内臓疲労も痛みやコリの原因**です。たとえば胃のはたらきが低下すると、12本の経絡の一つ**「胃経《いけい》」（33ページ）**でつながる前頭部、口、肩、ひざなどに痛みや不調が現れやすくなります。これは胃腸の疲れが胃経に影響するからです。自力整体では、内臓の休息時間を増やし痛みや不調を解消する**「整食法」**もすすめています。この食事法は**熟睡できて代謝アップ、便通もよくなり**、太りすぎ、やせすぎの人も、**健康的な適正体重になります**。

整食法

① 夕食はなるべく寝る3時間前までに終わらせ空腹で寝る

② 朝食は固形物を控え、飲み物・スープ・おかゆなど（ランチや夕食は自由）

ちなみに②の朝食については、とくに今なんらかの痛みや体調不良に苦しむ人にオススメしています。

驚くほど不調が和らぐ「整食法」

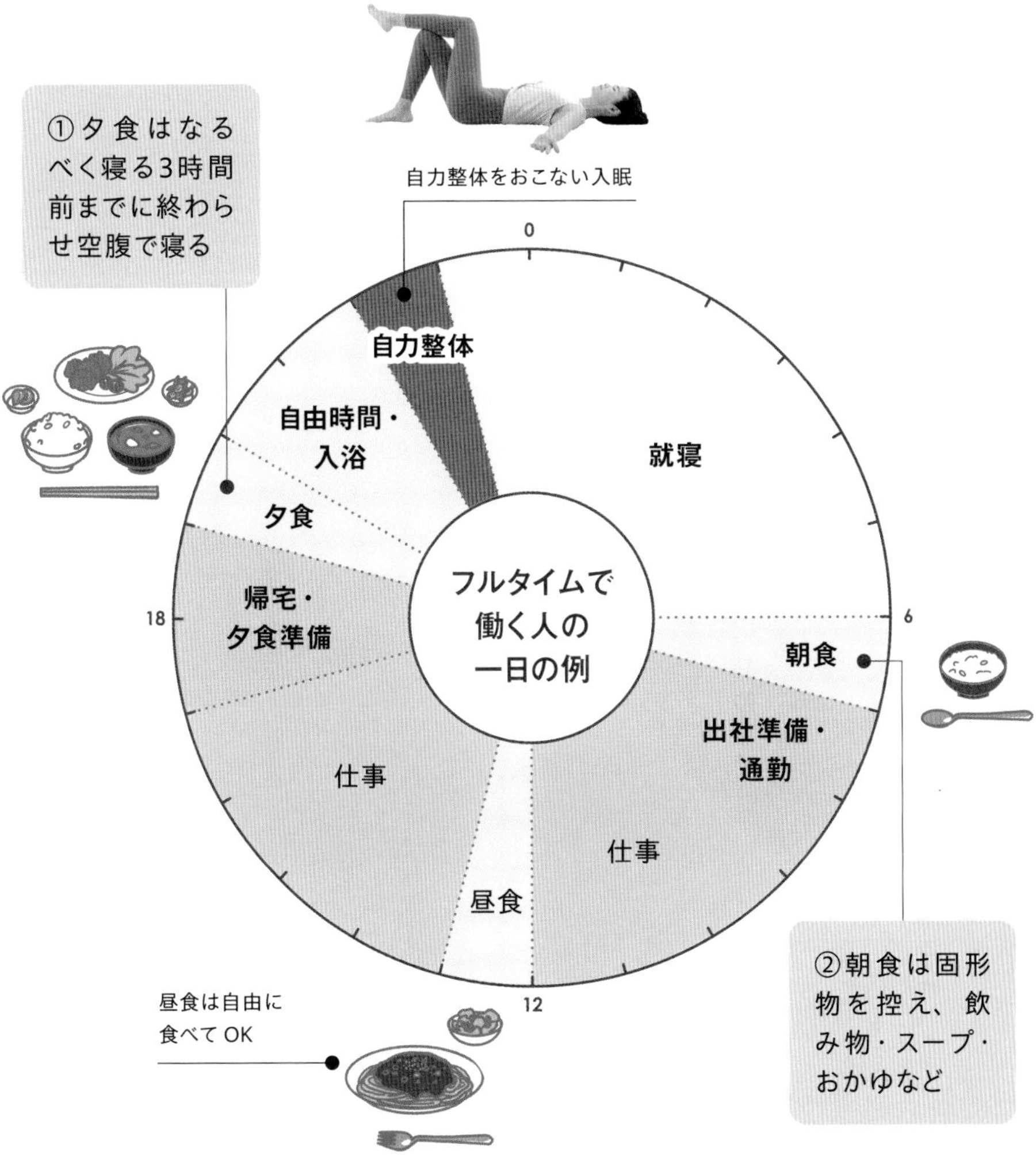

整食法

①夕食はなるべく寝る3時間前までに終わらせ空腹で寝る
②朝食は固形物を控え、飲み物・スープ・おかゆなど

JIRIKI SEITAI

12の経絡

「経絡」の流れが滞ると血液や
リンパの流れが悪化
不調が出やすくなるので
自力整体でほぐしましょう

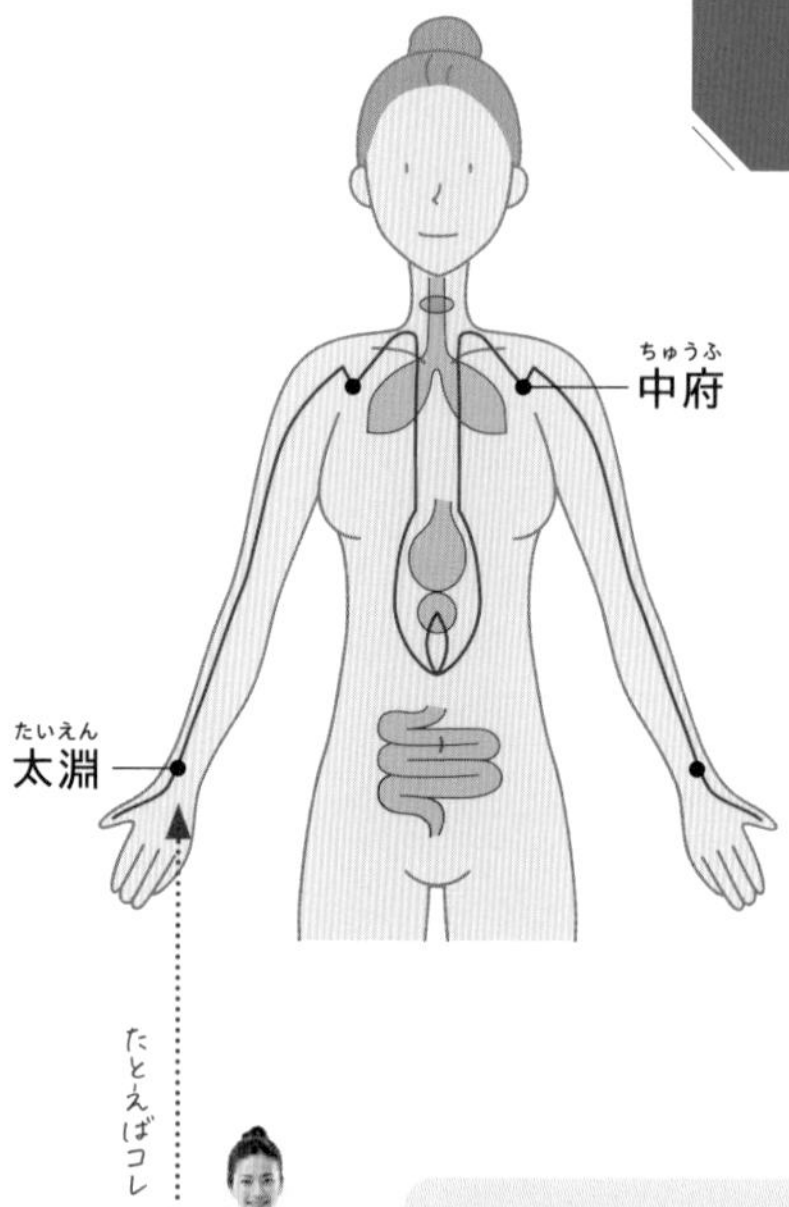

1 肺経《はいけい》

肺から始まり、手の親指に下りる。呼吸や皮膚など、体の内部を外から守る

肺経の滞りで出やすい症状

アトピー、喘息《ぜんそく》、アレルギー性鼻炎、花粉症、腱鞘炎《けんしょうえん》、のどの痛みなど

経絡上に表示しているツボは、
鍼灸治療でよく使われる場所です

2 大腸経《だいちょうけい》

手の人差し指から始まり、腕の親指側を通って、鼻へのぼる。老廃物の排泄（排便）を担う

大腸経の滞りで出やすい症状

前頭部の頭痛、肩コリ、歯の痛みなど。便秘、下痢など大腸にも関係する

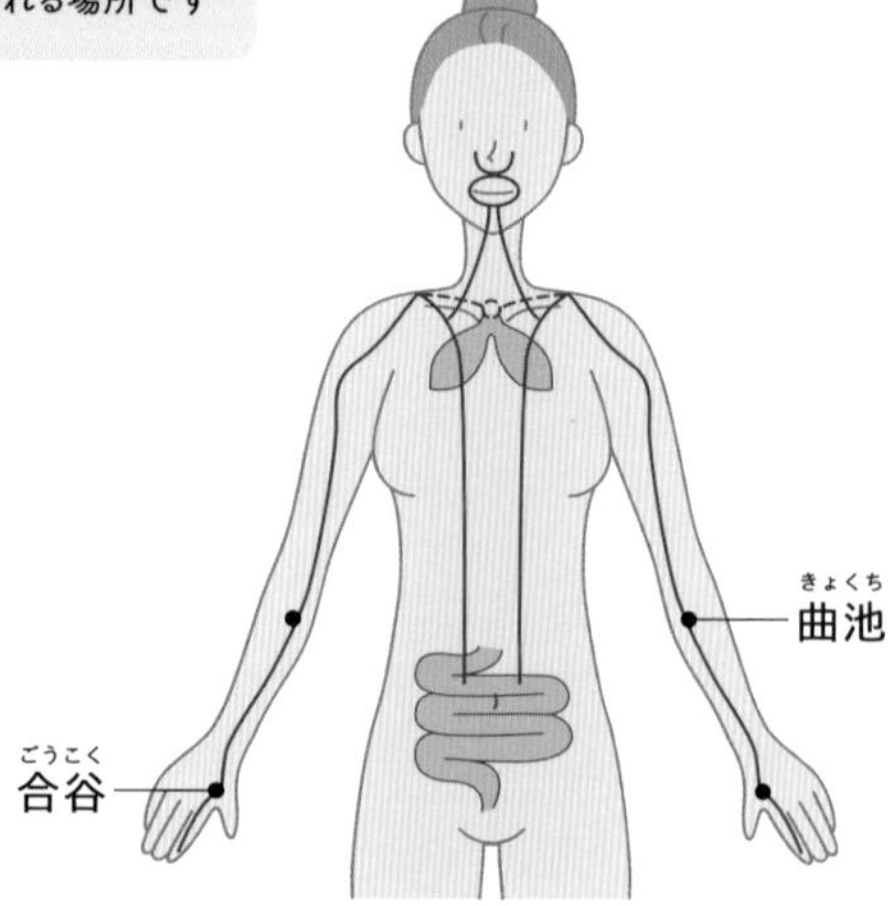

3 胃経《いけい》

鼻の横から始まり、体の前面を通って、足の人差し指（第2指）に下りる。食べ物を消化・吸収し、エネルギーに変える。また、ストレスに影響されるのも特徴

胃経の滞りで出やすい症状

前頭部の頭痛、口内炎、歯槽膿漏、口臭、肩コリ、ひざ痛など

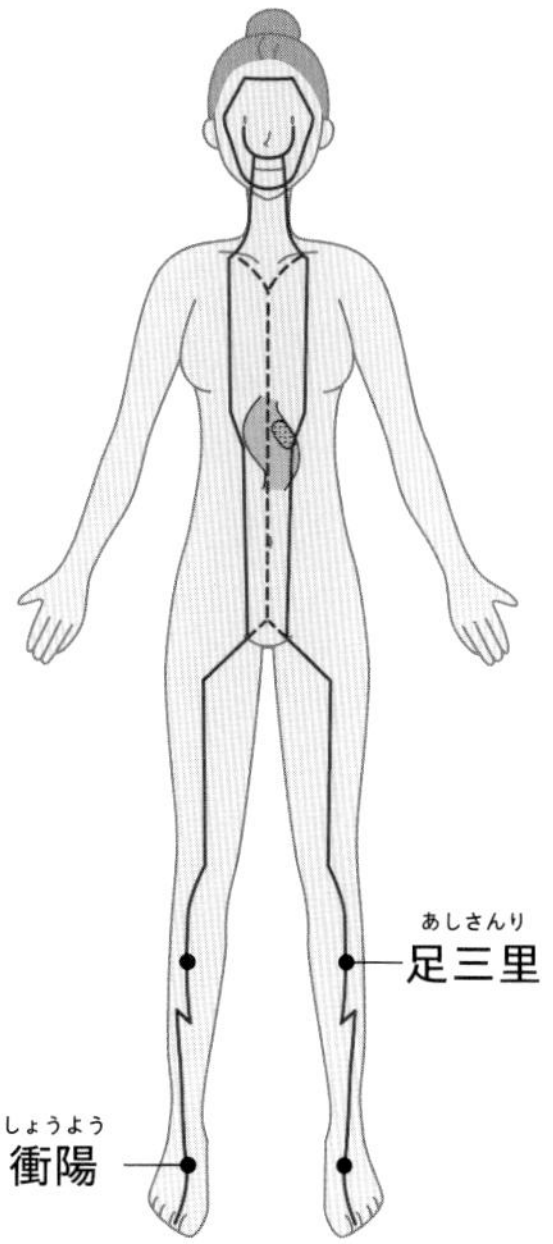

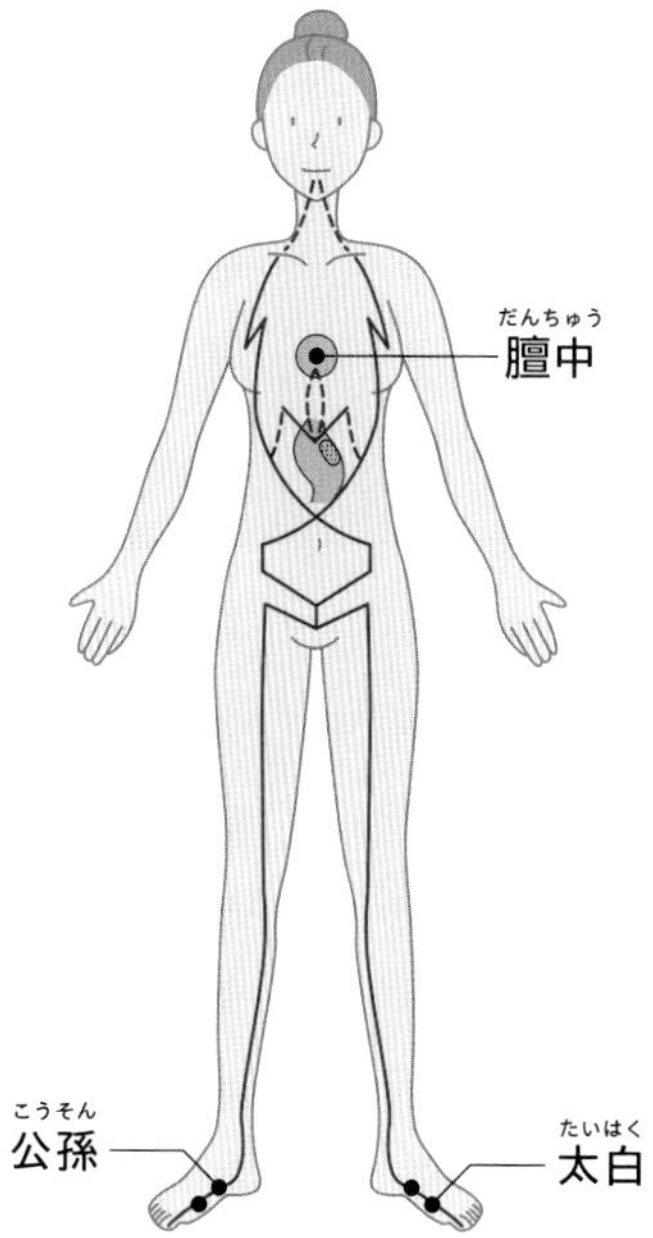

4 脾経《ひけい》

足の親指（第1指）から始まり、上にのぼる。食べ物を消化・吸収し、エネルギーを取り出すはたらきをする

脾経の滞りで出やすい症状

女性の乳房の疾患、ひざの痛み、ひざに水が溜まる、むくみ、内臓下垂など

＊これらの経絡は支脈も含みます

＊経絡やツボの位置は人により多少異なります。大まかな目安として活用してください

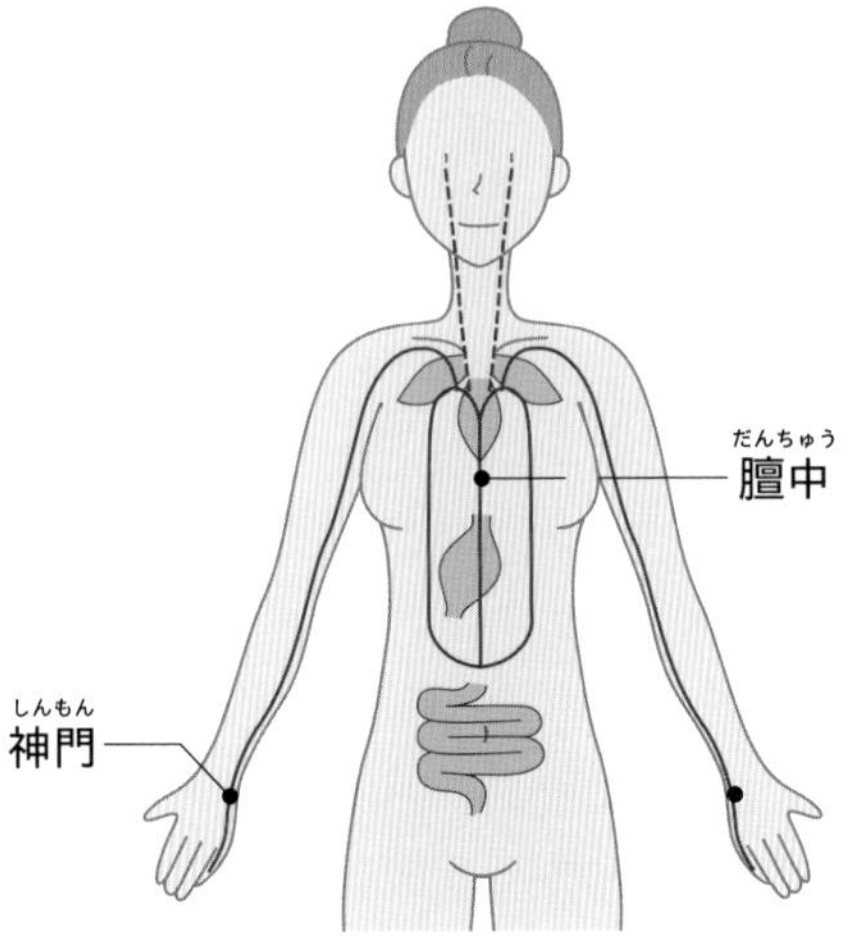

5 心経《しんけい》

心臓から始まり、手の小指に下りる。血液を作ったり、心臓から送り出された血液を流すのが特徴

心経の滞りで出やすい症状

動悸、息切れ、不眠、うつ、パニック障害など

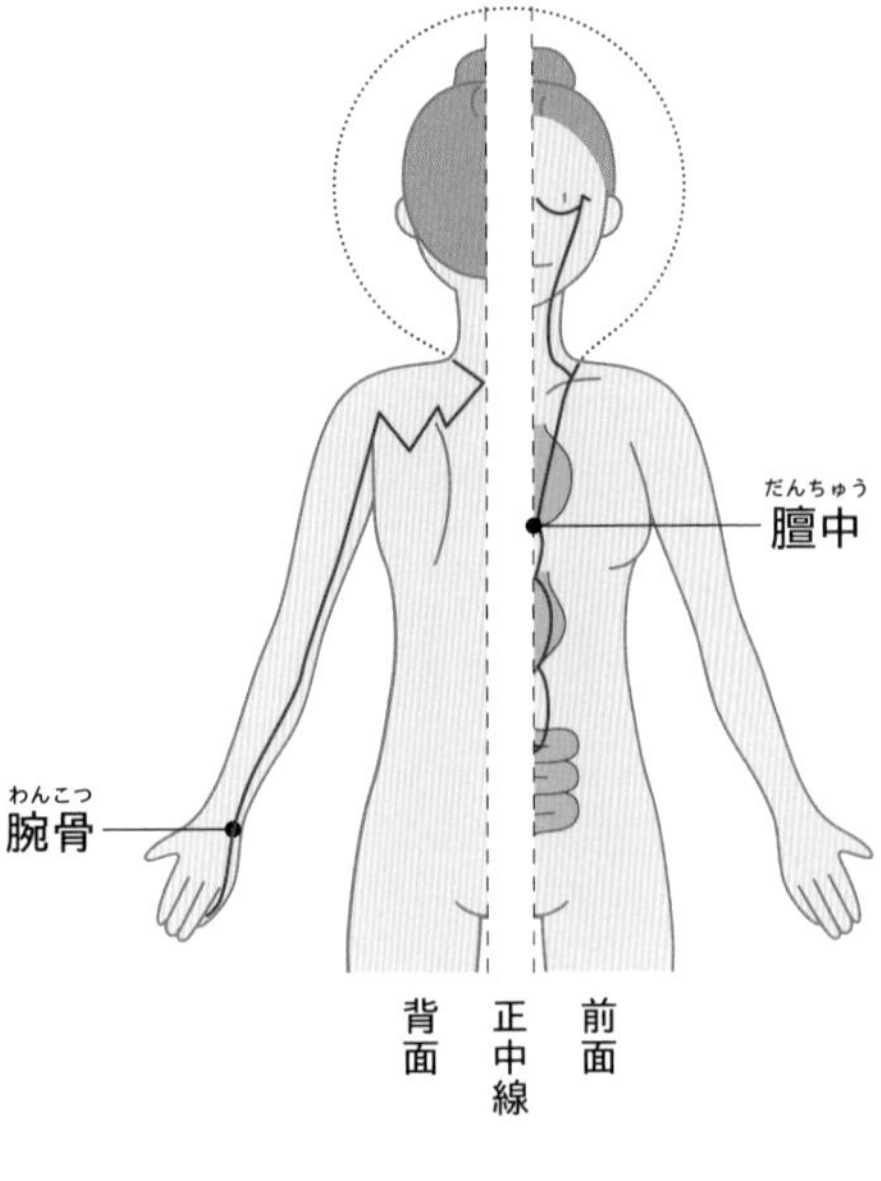

6 小腸経《しょうちょうけい》

手の小指から始まり、腕を通って、側頭部へのぼる。食べ物から血液を作る役割を担《にな》う

小腸経の滞りで出やすい症状

後頭部の頭痛、四十肩・五十肩、ひじの痛み、中耳炎など

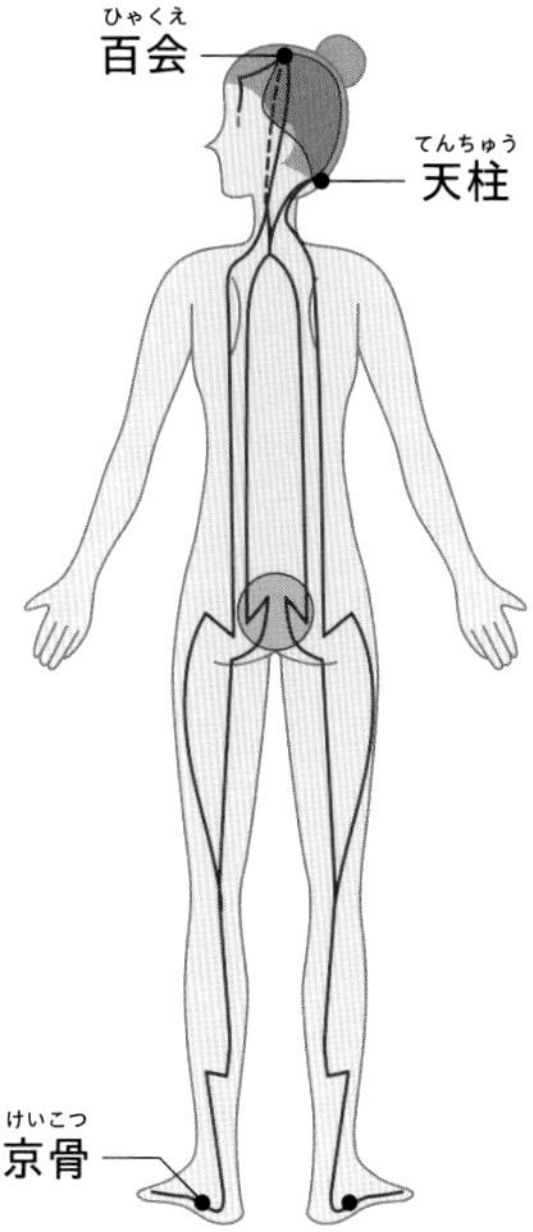

7 膀胱経《ぼうこうけい》

目頭から始まり、体の後面を通って、足の小指（第5指）に下りる。腎と協力して余分な水分を排泄するはたらきを担う

膀胱経の滞りで出やすい症状

脳の血管障害、後頭部の頭痛、腰痛、坐骨神経痛、足首の痛み、こむらがえり、冷えなど

8 腎経《じんけい》

足裏から始まり、上にのぼる。骨との関わりも深い。過剰な水分を排泄するはたらきもある

腎経の滞りで出やすい症状

腰痛、毛髪の弱り、脱毛、白髪、老化、骨粗鬆症《こつそしょうしょう》、冷え、不妊など

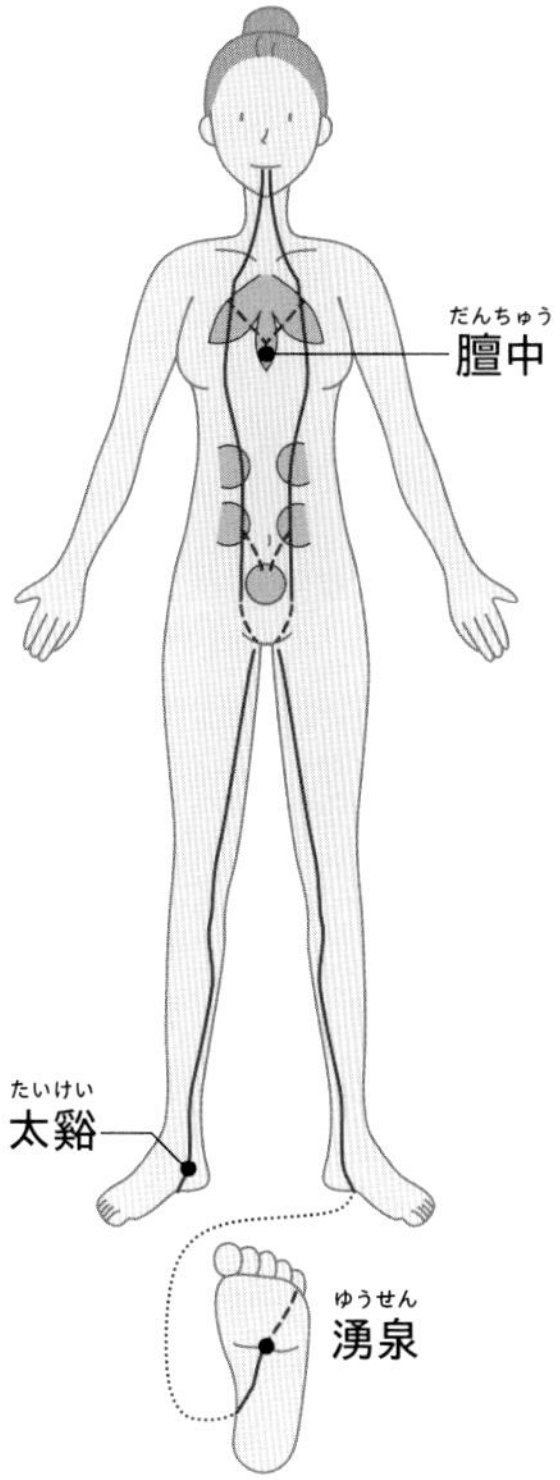

9 心包経《しんぽうけい》

心経と同じ心臓から始まり、手の中指に下りる。心臓を守るため、心臓に代わって邪気を引き受けるはたらきをする

心包経の滞りで出やすい症状

動悸、息切れ、不眠、うつ、パニック障害など

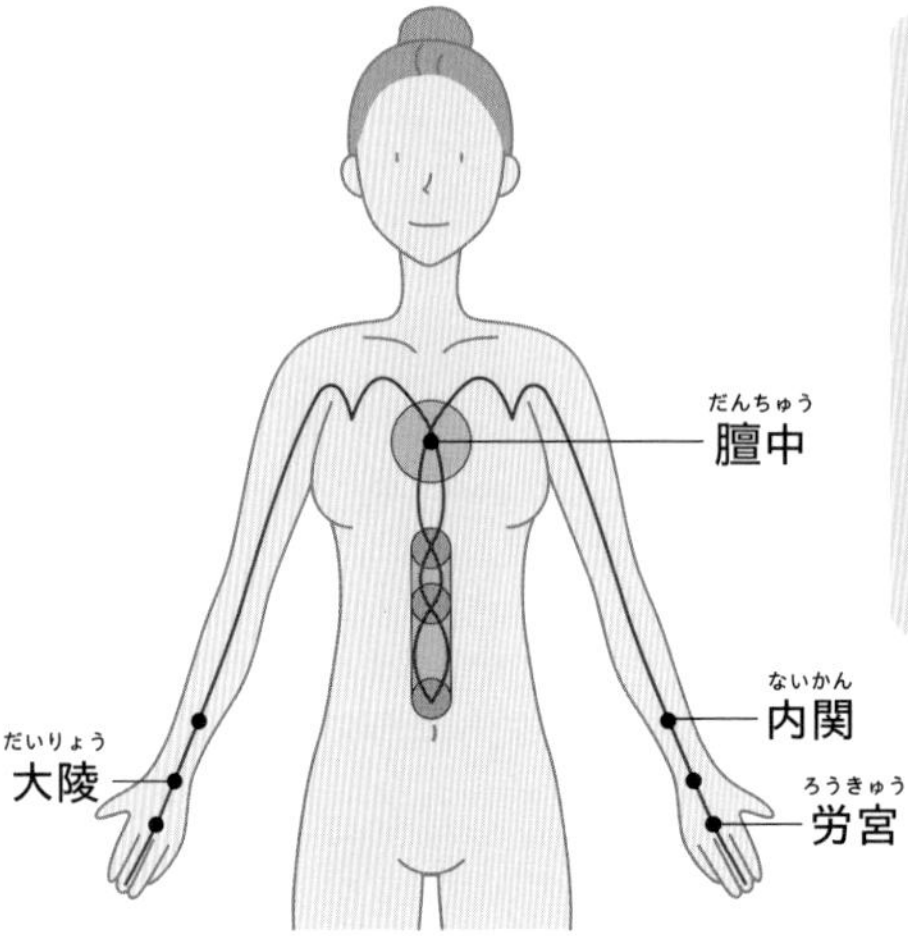

10 三焦経《さんしょうけい》

手の薬指から始まり、腕の横面を通って側頭部にのぼる。上焦《じょうしょう》(A)、中焦《ちゅうしょう》(B)、下焦《かしょう》(C)に分けられ、他の臓器を守る役割を担う

三焦経の滞りで出やすい症状

偏頭痛、耳鳴り、肩コリ、腱鞘炎など

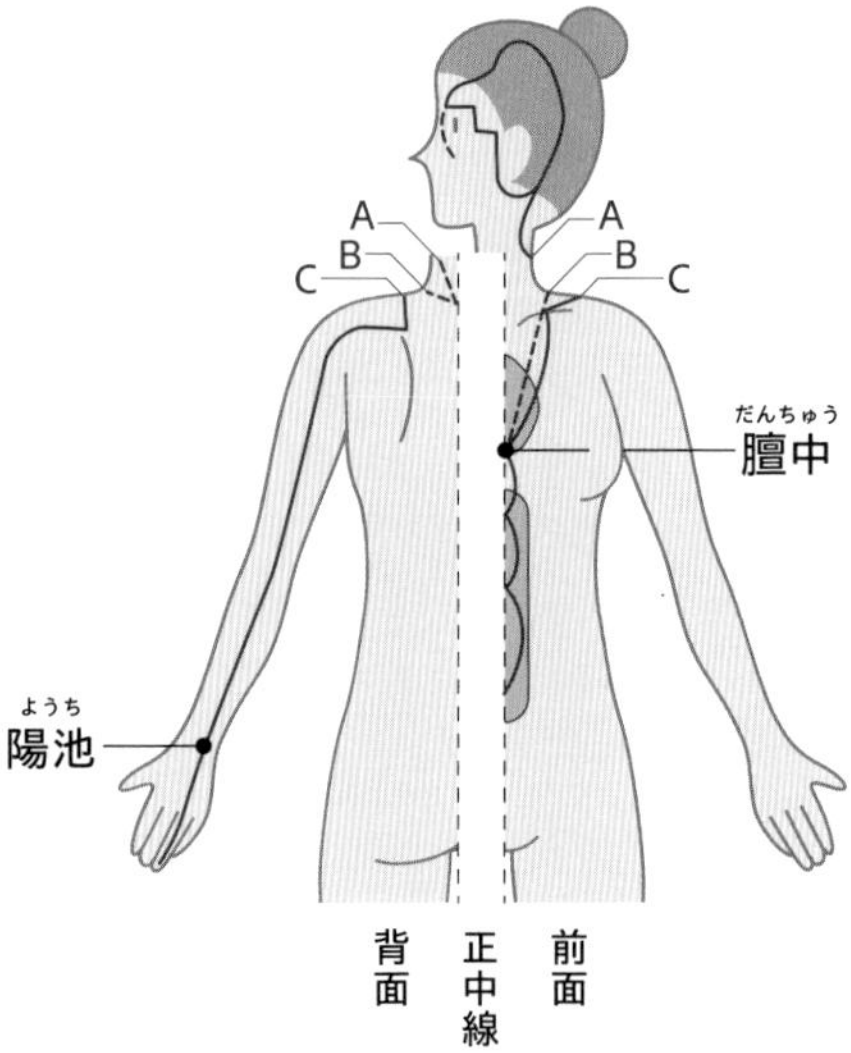

11

胆経《たんけい》

側頭部から始まり、体の側面を通って、足の薬指（第4指）に下りる。肝と強力して、消化液である胆汁を作り、貯蔵するはたらきをする

胆経の滞りで出やすい症状

偏頭痛、耳鳴り、めまい、股関節痛など

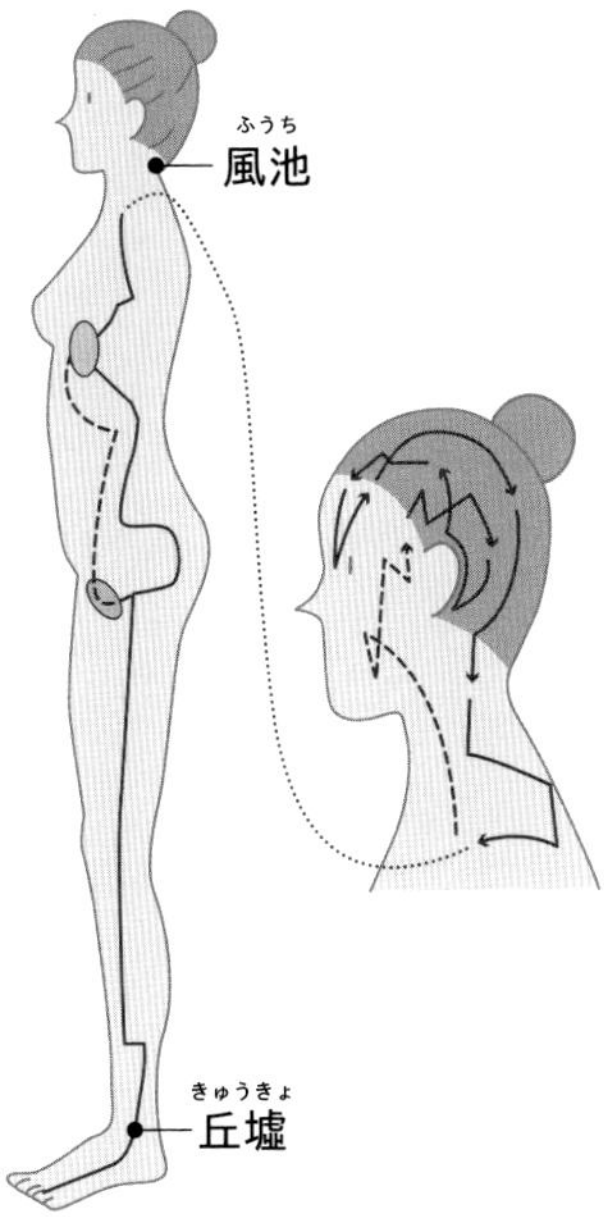

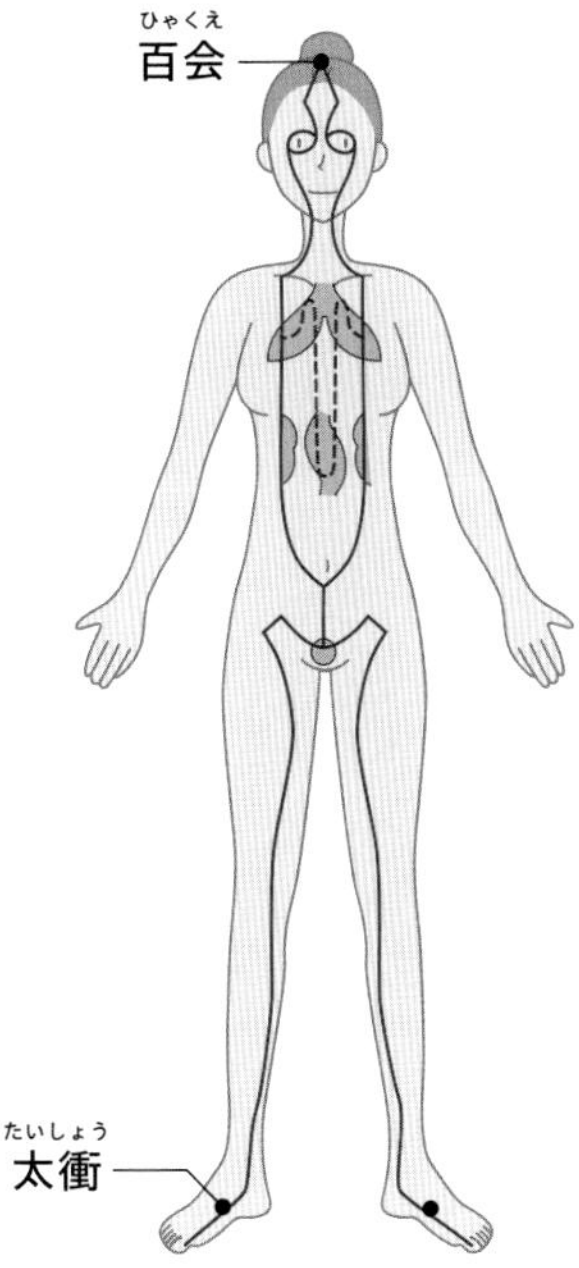

12

肝経《かんけい》

足の親指（第1指）から始まり、上にのぼる。血液を貯蔵して解毒《げどく》するはたらきをする

肝経の滞りで出やすい症状

眼精疲労、近視、遠視、頭痛、股関節痛、生理不順、PMS（月経前症候群）、子宮筋腫、ホルモンの乱れ、更年期の不調、めまい、立ちくらみ、精力減退、不眠、のぼせ、爪の異常など

ストレッチではなく、ゆがみを確認する意識でおこないましょう！

コリや痛みの正体がわかる

体のゆがみチェック！

はじめる前に体の状態を確認しましょう。
5つの質問に答え、YESにチェックした部位は、
ねじれ、ゆがみ、縮みのある傾向です。

首のねじれ

Q1 眼球を左右に動かした時、
動かしやすさに左右差がある

☐ YES　　☐ NO

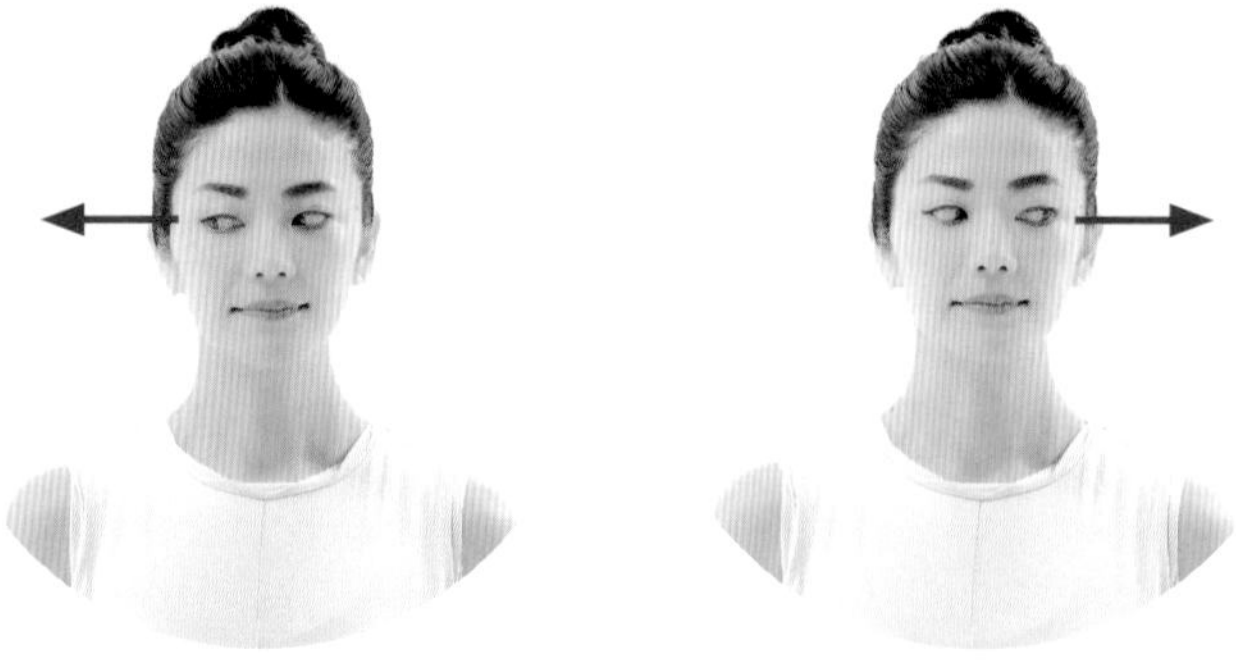

結果：YESの人は、眼球を動かしやすい方向に首がねじれている

胸郭のねじれ

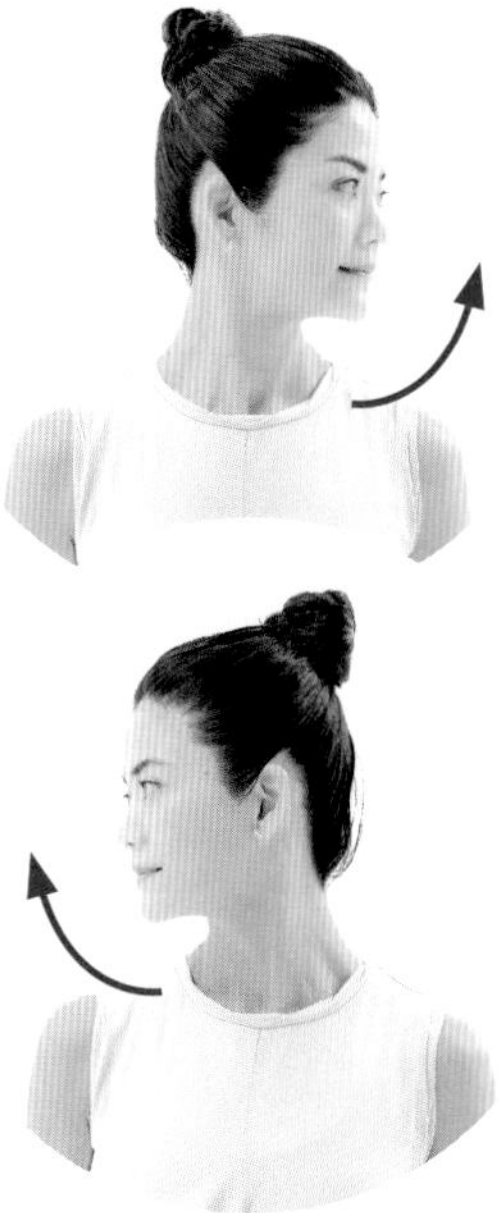

Q2 首を左右どちらかに
向けた時、
左右差がある

☐ YES　☐ NO

結果：YESの人は、首が向きやすい方向に
胸郭がねじれている

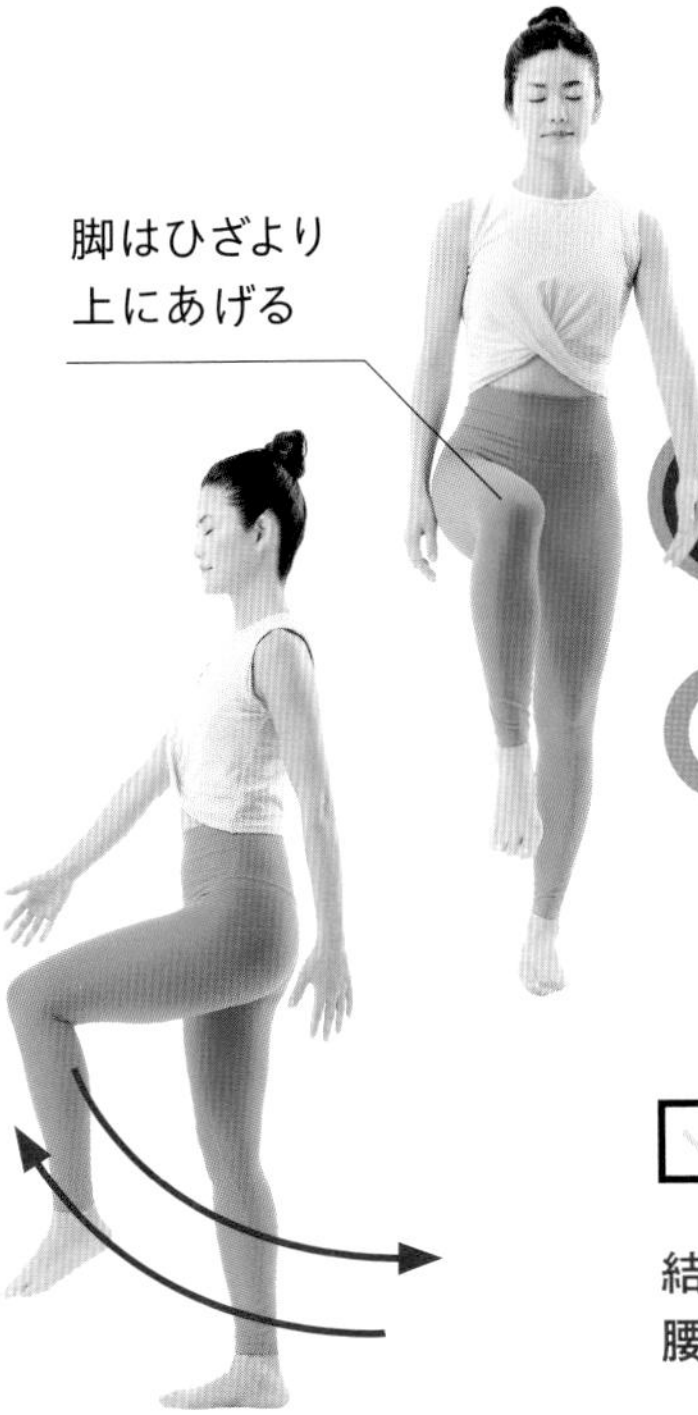

骨盤のゆがみ

Q3 目を閉じて足踏みを
50回して
目を開いた時、
向きが変わっている

☐ YES　☐ NO

結果：YESの人は、骨盤にゆがみがあるため、
腰がねじれている方向へ体が向いていく

次ページでつづく

腸腰筋の縮み

Q4 重心を前に移動させた時、
のばした方の鼠径《そけい》部に
左右差がある

□ YES　□ NO

結果：YES の人は、腸腰筋《ちょうようきん》（背中の前側にある筋肉）が縮んでいる

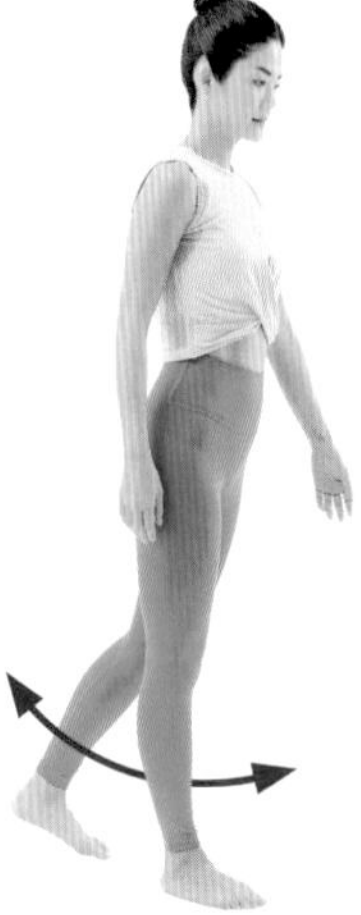

重心のかたより

Q5 片脚立ちで脚を
前後に振った時、
安定感やふらつきに
左右差がある

□ YES　□ NO

結果：YES の人は、「体の重心」が本来の正しい位置からズレている

LESSON

2

気になる不調を今すぐ解決! 悩み別「自力整体」

とにかく今すぐ
痛みやコリを解決したい方に
オススメのワークを症状別に紹介!

自力整体で効果的にゆるめる8つのポイント

1 動作はゆっくり

体はゆっくり丁寧に扱い、ムリをして傷《いた》めないように。はじめは「気持ちよく」、慣れてきたら「イタ気持ちよい」と感じる程度の刺激を感じられたらＯＫ。

2 脱力しながら呼吸をゆっくり長く

息を止めずに、実技と実技の合間は「ふ〜」「は〜」とため息をついて脱力しながら呼吸をおこないましょう。ほぐした部位の血流がより促され、気持ちよくゆるみます。

3 回数や長さは自分のペースで

本書に書かれている時間や回数は目安です。「もう少しほぐしたい」と感じたら、少し長めにおこなってもＯＫ。

4 とても眠くなるので夜、寝る前がオススメ

……体がゆるんで眠くなるので、日中は後の予定を確認しておこないましょう。

5 必ず空腹でおこなう

……食後、体は血液を消化活動に集中させるため、自力整体の効果は低下します。食後2時間ほど空けて実践するのがオススメです。

6 オススメは入浴後

……体が温まるとより血行がよくなり、ほぐれやすくなります。

7 ゆったりした服装でおこなう

……メガネやコンタクト、時計ははずしましょう（血流やリンパの流れを阻害するため）。体を締めつけたり、目や腕を緊張させたりしないこと。

8 体の内部感覚に意識を向ける

……自力整体は動く瞑想《めいそう》でもあります。動きながら体が発するメッセージを感じましょう。

悩み別

肩コリ

肩甲骨《けんこうこつ》を開きながら、肩の筋肉をほぐす

この整体が効く！

背中ほぐし

ねらい 腕から肩にかけての血行促進

1 左腕を前へ

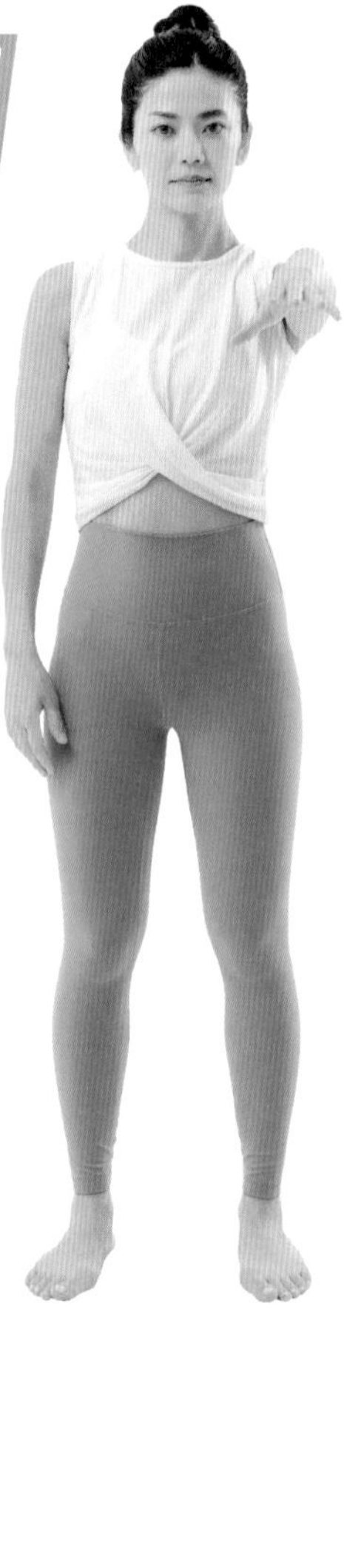

2 右腕を下から交差

3 両手の指をからめる

7分コースの動画でもご紹介！

！ 感じよう

腕と肩甲骨の
のびを感じる

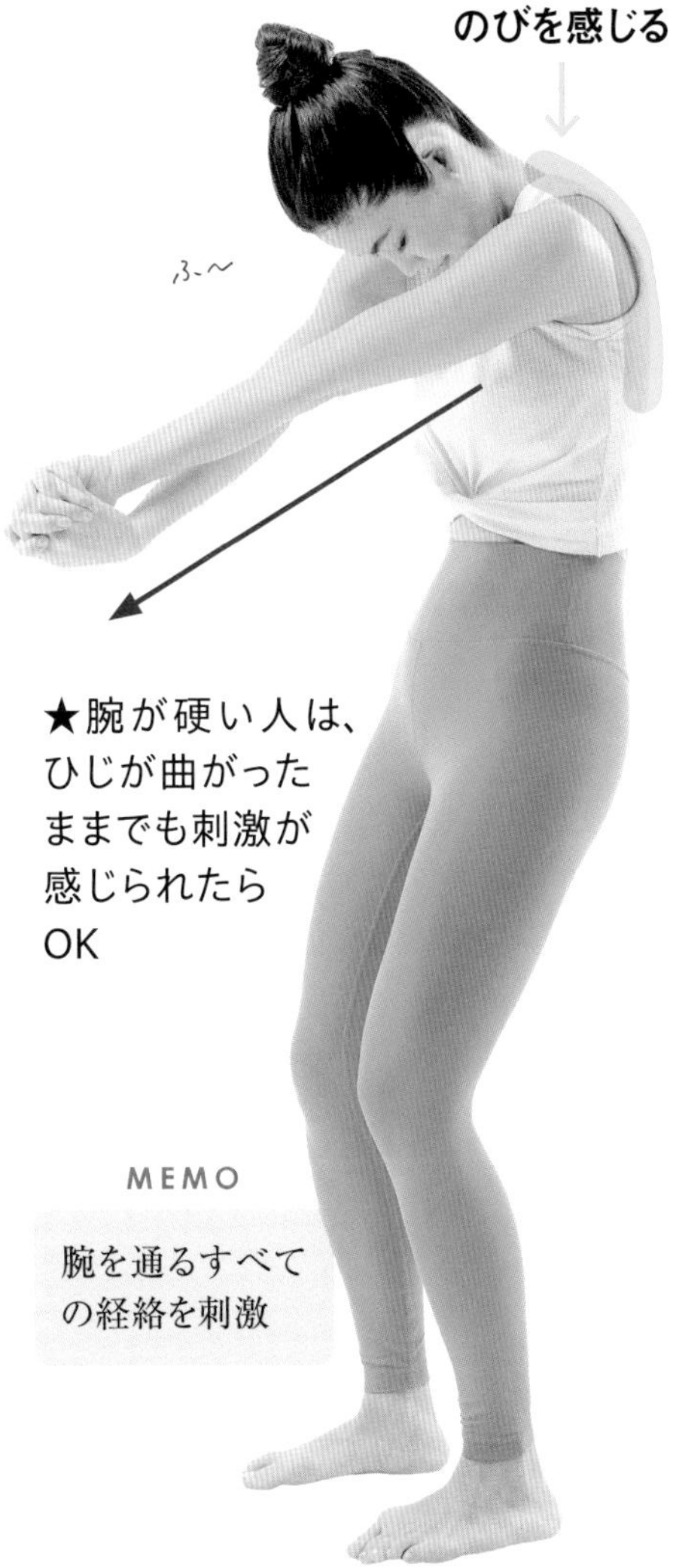

★腕が硬い人は、
ひじが曲がった
ままでも刺激が
感じられたら
OK

MEMO

腕を通るすべて
の経絡を刺激

いったん
止める

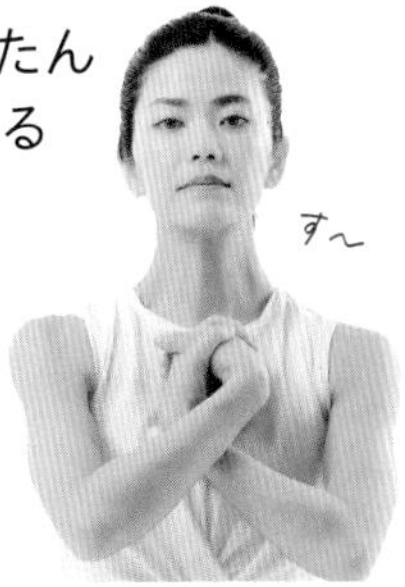

4
両手を
胸に近づける

5
息を吐きながら
両ひじをのばし
手首をねじる

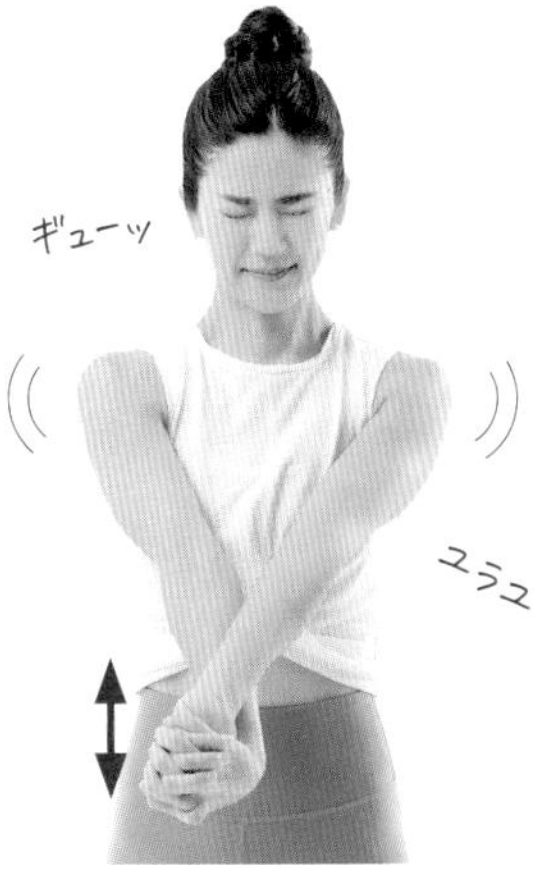

6
腕を軽く上下に
ゆすりながら
目をギューッと閉じる

7
反対側も
同様におこなう

※硬い側は長めにおこなう

悩み別

腰痛

お尻をほぐして、筋肉でつながる腰《よう》椎《つい》のすき間を開く

この整体が効く！

お尻ほぐし

ねらい　お尻、腰の筋肉をゆるめる

1　右足の外くるぶしを左ももの外に乗せ手で固定する

背筋をのばす

10秒前後
ひざを
ぐ～っと押す

2

腰から折り曲げ
背筋をのばす

**右ひざを
押しながら前屈。
10秒前後キープ**

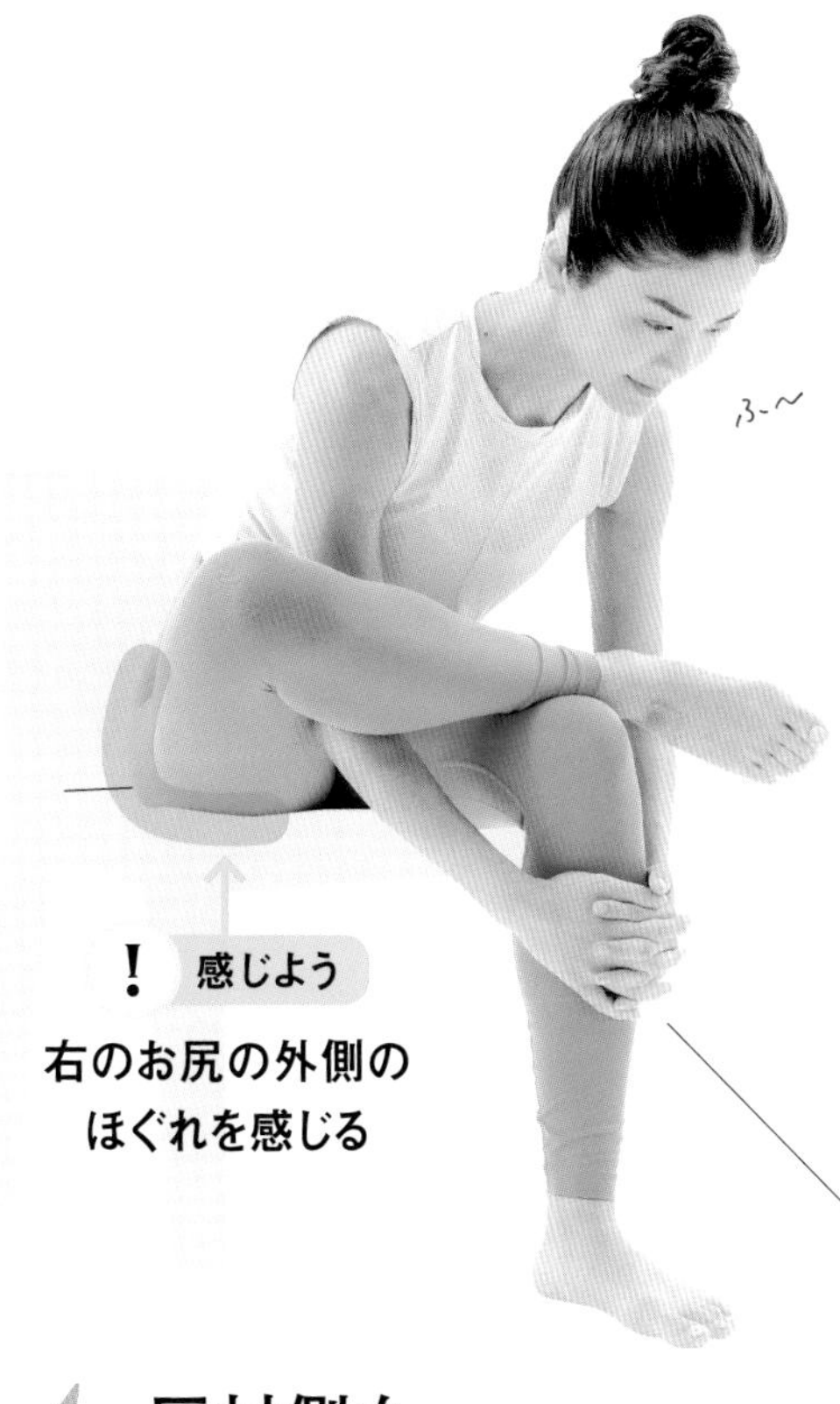

3

**両手を左ひざの
下で組む。
10秒前後キープ**

★手が届かない人は
ムリをしないように

! 感じよう

**右のお尻の外側の
ほぐれを感じる**

4

**反対側も
同様におこなう**

※硬い側は長めにおこなう

悩み別

腰痛・生理痛
ひざの痛み
骨盤まわりを柔らかくほぐす

この整体が効く！

股関節ほぐし

ねらい 股関節の左右差を整える

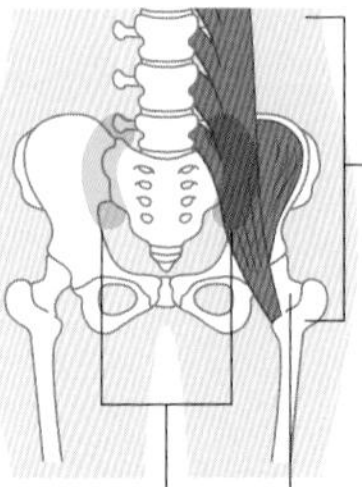

POINT

硬く縮んだ腸腰筋をほぐし、仙腸関節のズレを整えるのが目的

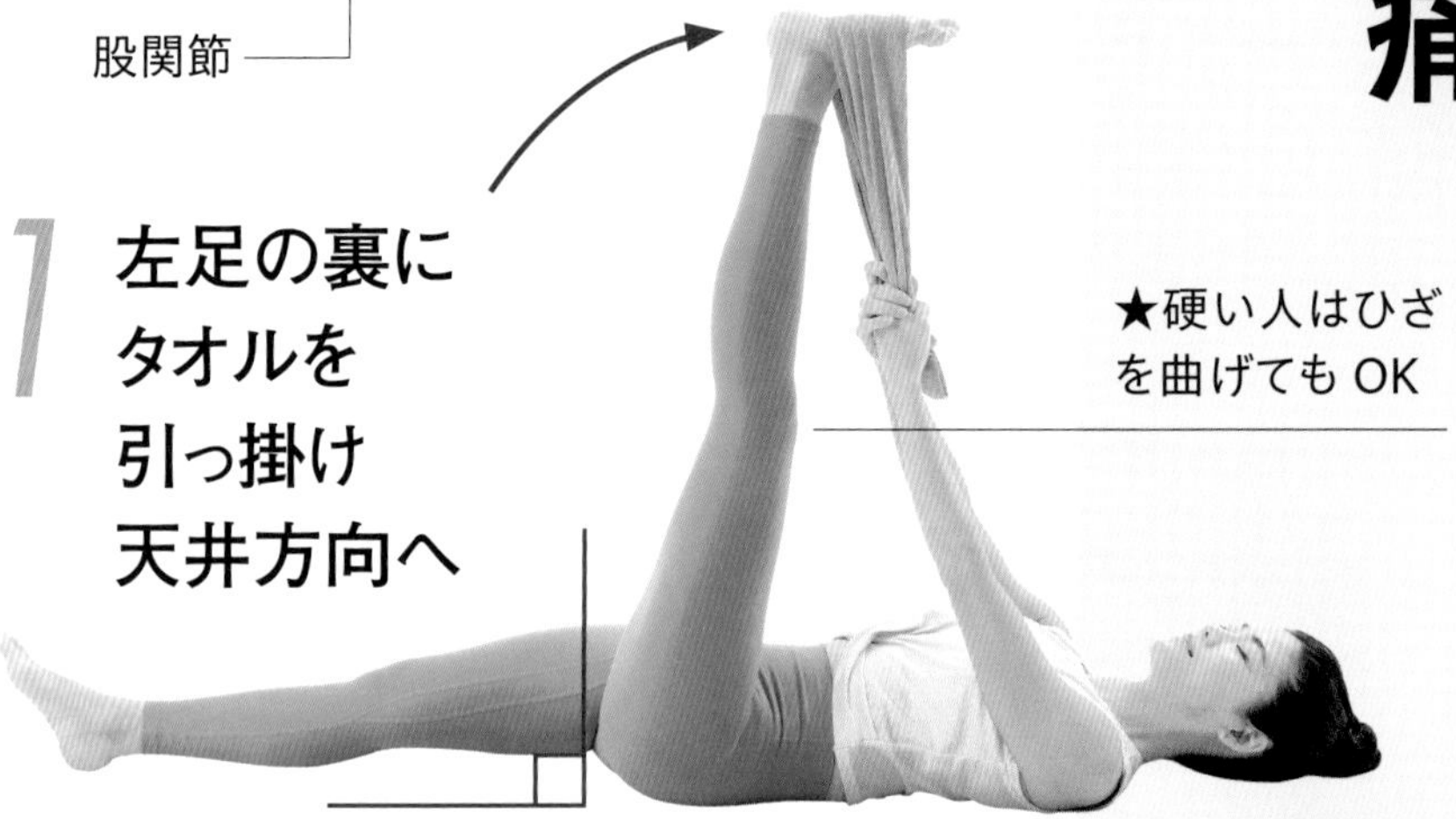

1 左足の裏にタオルを引っ掛け天井方向へ

POINT

左脚は90度が理想。ただし90度を超えないように

20分コースの動画でもご紹介！

2 左手でタオルをつかみ 左脚を外側へ ゆっくり開き 右ひざを小刻みにゆする

右のお尻が
浮かないように骨盤を
床方向へ押す

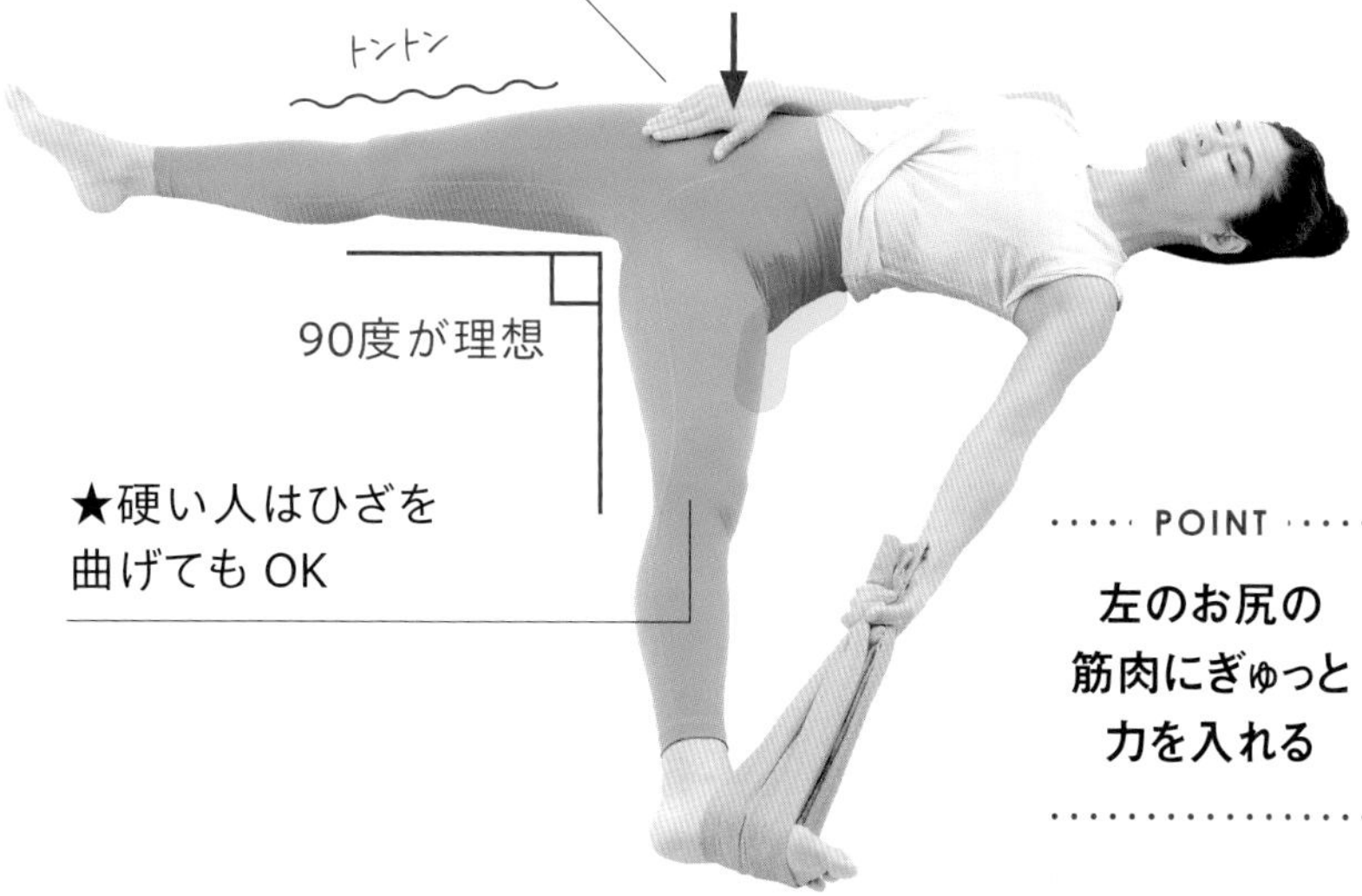

90度が理想

★硬い人はひざを
曲げても OK

POINT

**左のお尻の
筋肉にぎゅっと
力を入れる**

脇をのばす

3 右手を上げて ひざをゆすり続ける

← つづく

← 前ページより

4

右手で
右足首をつかむ

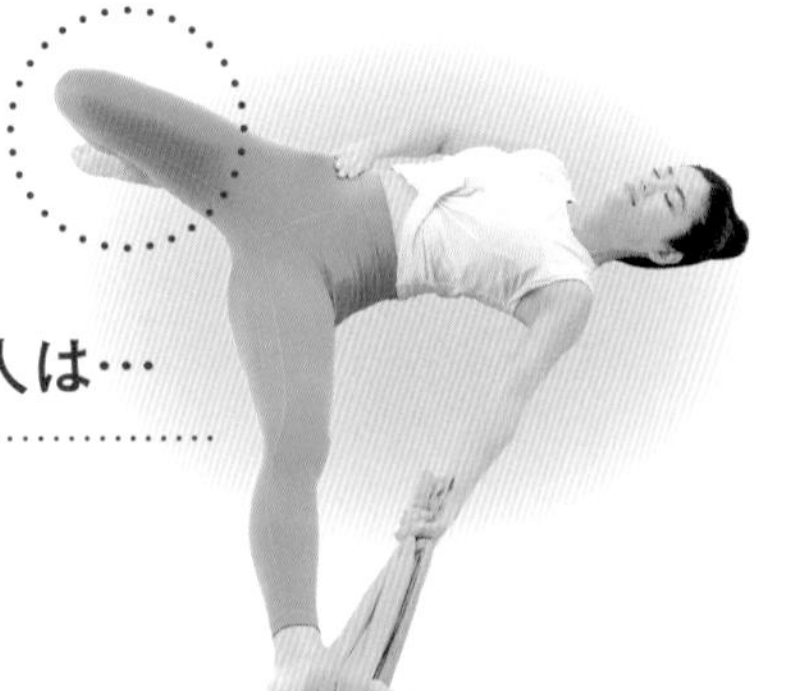

右足首をつかめない人は…

右ひざを立てる

5 右の脚を後ろへ引き右ひざを床に押しつける

POINT

右足首を外側へ出そうとすると右ひざが床につきやすい

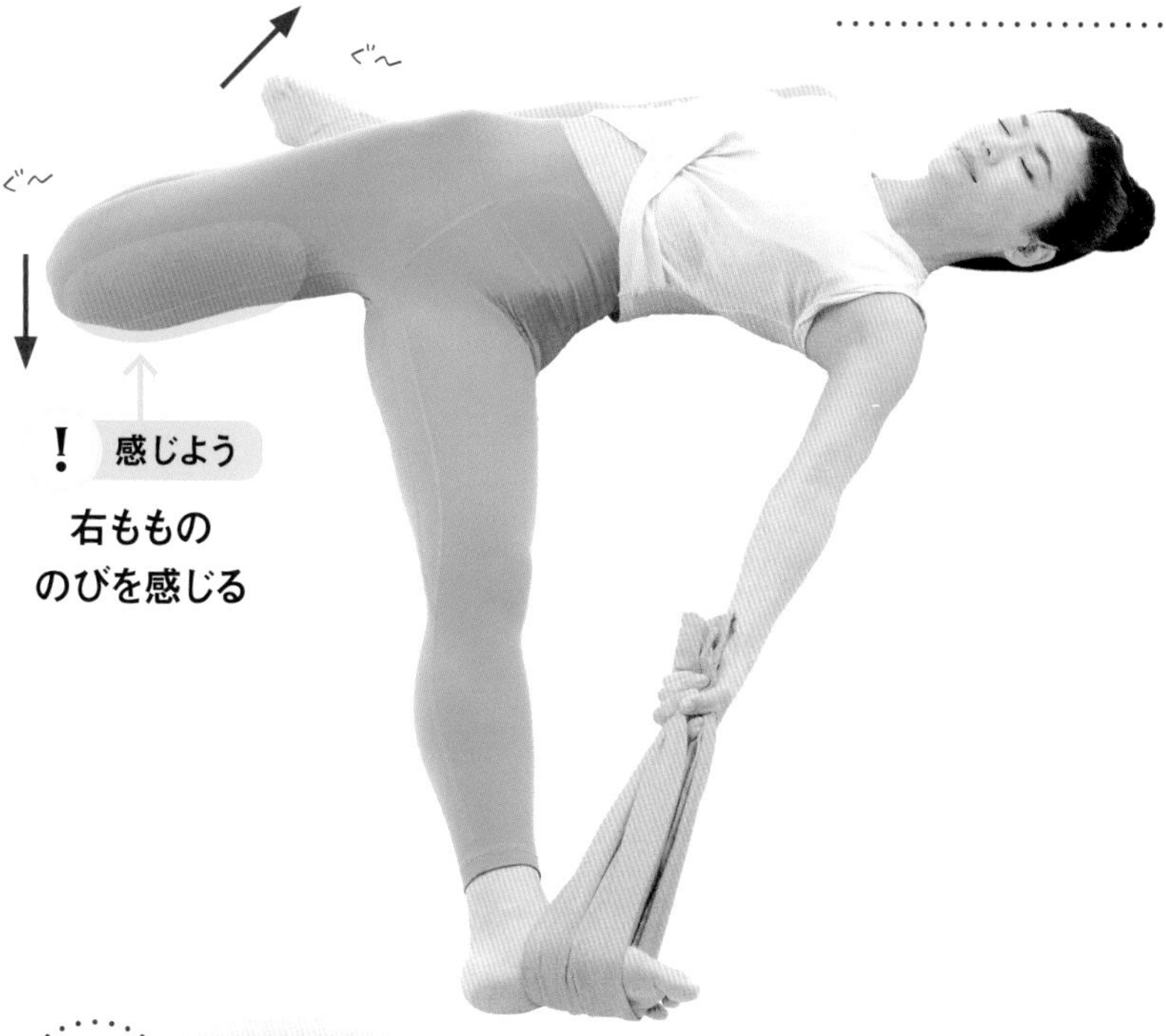

! 感じよう

右もものびを感じる

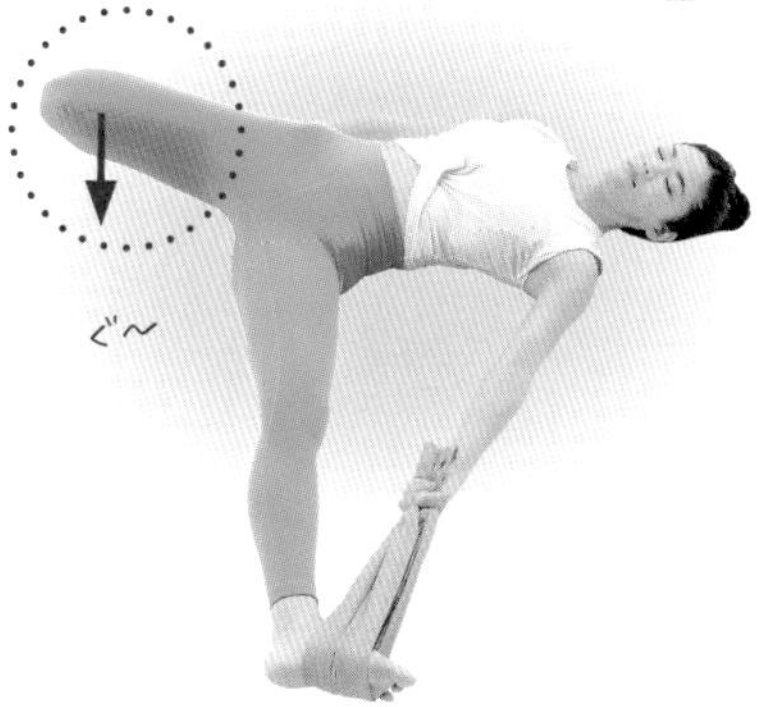

足首をつかめない人は…

立てた右ひざを内側へ倒そうとすると右ももがのびて効く

6 反対側も同様におこなう

※硬い側は長めにおこなう

悩み別

坐《ざ》骨《こつ》神経痛・腰痛

梨状筋《りじょうきん》をほぐす動きで症状を和らげる

この整体が効く!

腰のユラユラほぐし

ねらい 梨状筋・仙腸関節をゆるめる

足裏は天井に対して平行。
脚の裏側やアキレス腱をのばす

脚を前後にゆする

足裏にタオルを
引っ掛け
脚を天井に上げ
前後にゆする

! 感じよう

腰ののびを感じる

POINT

足にぶらさがる
イメージで首も脱力

2 脚をおろしたら 両ひざを開き 左右交互にゆする

ひざを動かし
梨状筋の縮みをほぐす

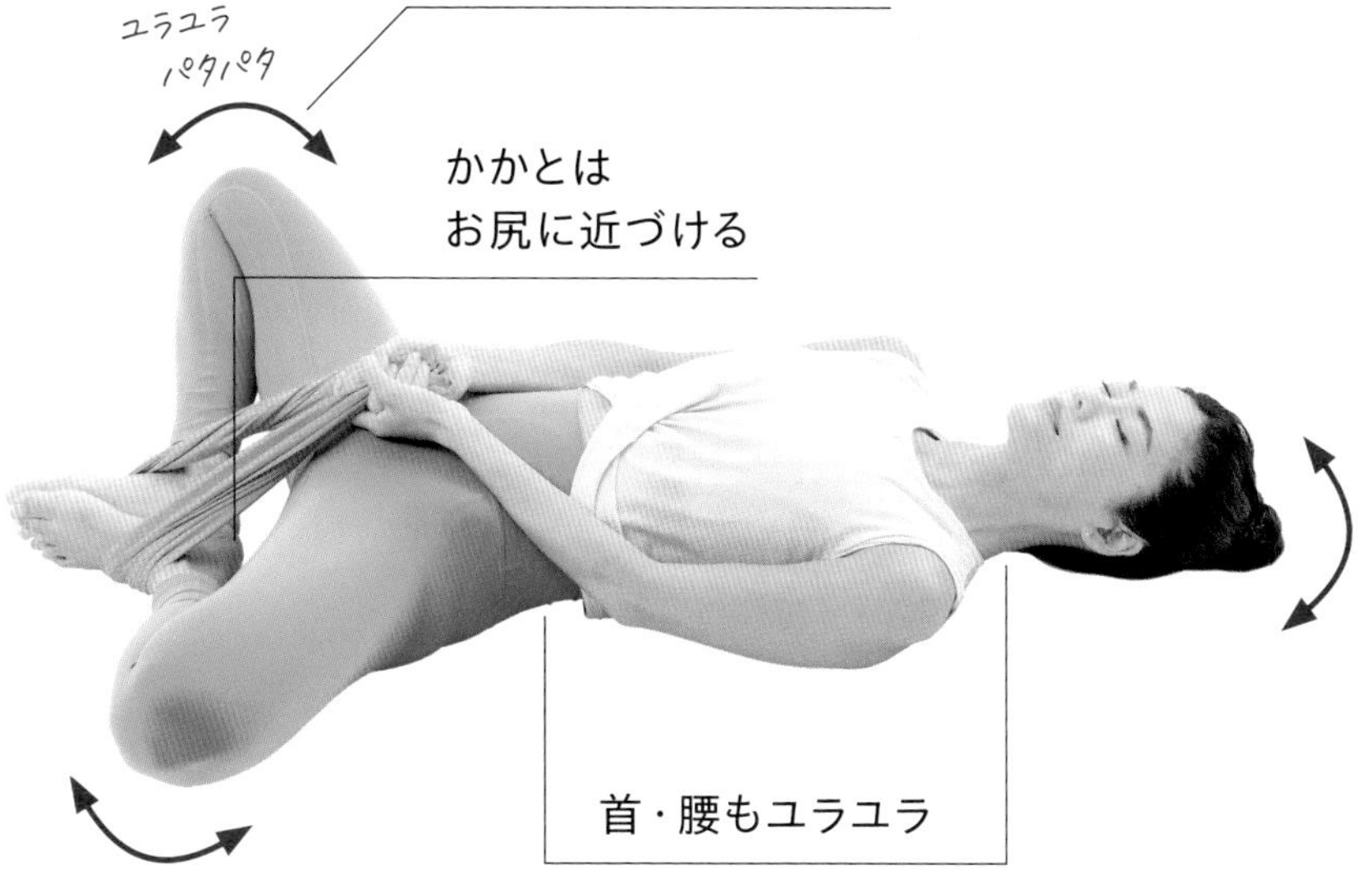

かかとは
お尻に近づける

首・腰もユラユラ

〔背面図〕

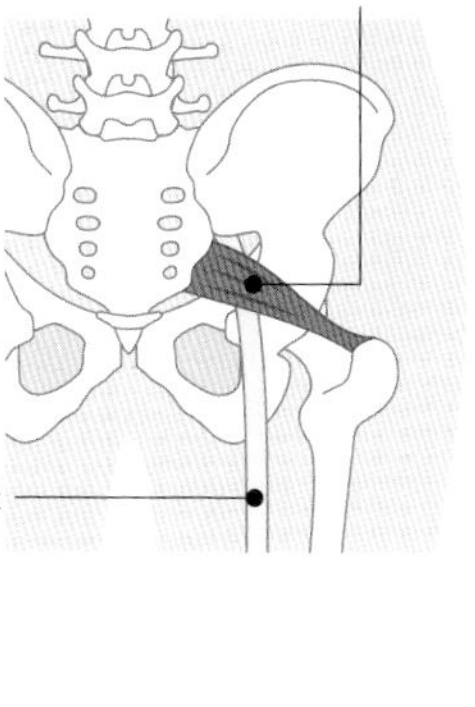

MEMO

坐骨神経痛は、梨状筋が硬く縮み坐骨神経が圧迫されておこる

悩み別

ひざの痛み

ねじれた足首を動かし、ひざの痛みをとる

この整体が効く!

足首のねじれ直し

ねらい　ひざの痛みの元を正す

MEMO

ひざの痛みは股関節や足首のねじれを正しい位置に戻すことで緩和されます

1　痛い方のひざをのばし足首を内外へねじる

★転倒しないように気をつける

ゆっくり内外へ動かす
つま先は上向き。アキレス腱をのばす
両手はひざ

2 足首にタオルを引っ掛けクロス

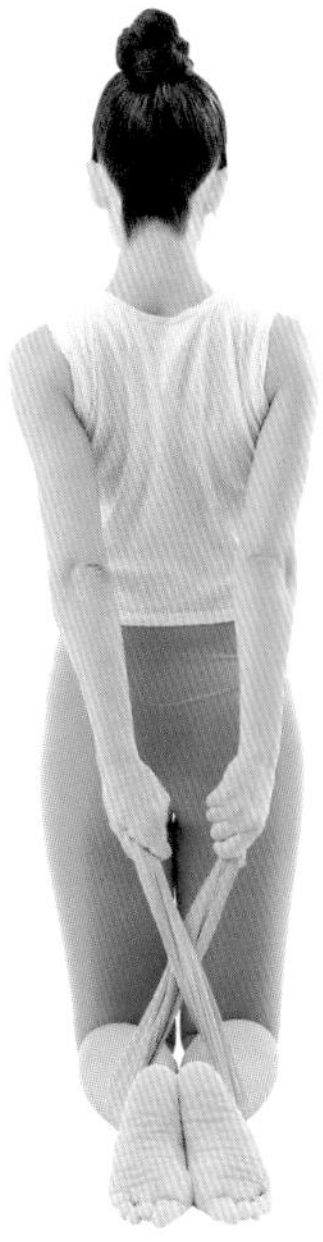

3 左右のかかとどうしをくっつけ体勢を整えたら

★この時、足首・
ひざが痛いと感じたら
2に戻り、
腰を上げ下げする
動きを5回ほど繰り返す

4 かかとの上にゆっくりお尻の骨を乗せて正座

★痛い人はムリに正座をしなくてもよい

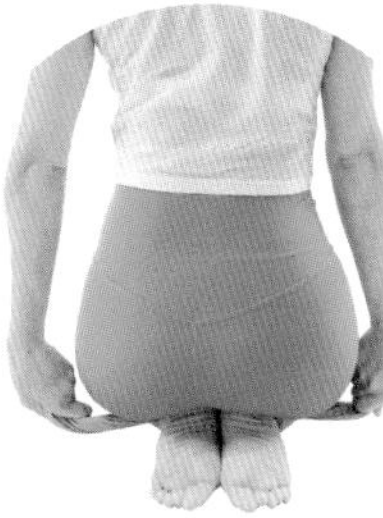

POINT

左右のかかとどうしをしっかりつけることで、ひざと足首のねじれを矯正

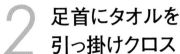

ウォーキングで現れる足腰のコリ・痛み

歩く時に使う脚の外側と後ろ側、お尻の筋肉をほぐす

この整体が効く！

片足前屈

ねらい 骨盤の左右のゆがみを矯正

MEMO

歩く前後におこなうのがオススメ

1 左脚をのばし右ひざを乗せて折り曲げる

右手は左足の側面（小指側）へ

左手は右足首をつかむ

★足先に手が届かない人は、足先にタオルを引っ掛けておこなう

2 息を吐きながらゆっくり前屈 左ひざの外側と後ろ側・お尻をほぐす

POINT

**前屈が目的ではなく、
左脚の外側と後ろ側・
お尻の筋肉をほぐすのが目的。
縮みを取り除くことで
脚の疲れもとれる**

上半身を
前後左右にゆする

左足先は上へ向け、
アキレス腱をのばす

！ 感じよう

**左脚のひざや
ももの裏
（とくに外側）の
のびを感じる**

3 反対側も 同様におこなう

※硬い側は長めにおこなう

四十肩・五十肩

血行不良からくる肩関節の炎症を、肩の運動で改善

この整体が効く！

かべ腕立てふせ

ねらい 肩まわりの筋肉を動かし血流改善

1 かべに両手をつく

POINT

肩が痛くて
ストレッチできない
人にもオススメ

★ひどい肩関節炎の人はムリをしないように

手の向きは、やりやすい方向におく

腕が曲がるかチェック

腕を曲げられる位置に立つ

2 30回ほど かべ腕立てふせをする。途中で手の向きを変える

30回前後

手を上向き

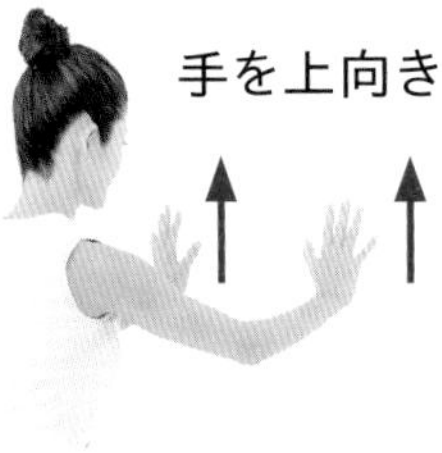

手を外向き

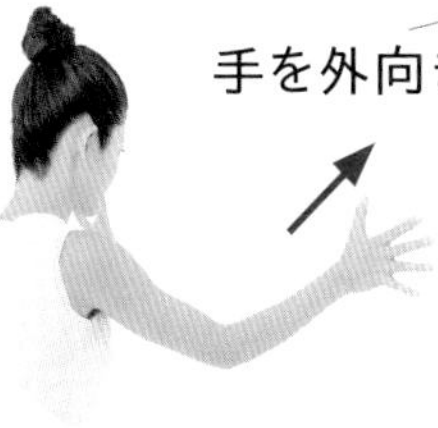

! 感じよう

肩や
肩甲骨への
刺激を感じる

★足の位置を
時々変える。
近づけたり離したり
することで
腕の強度を変える

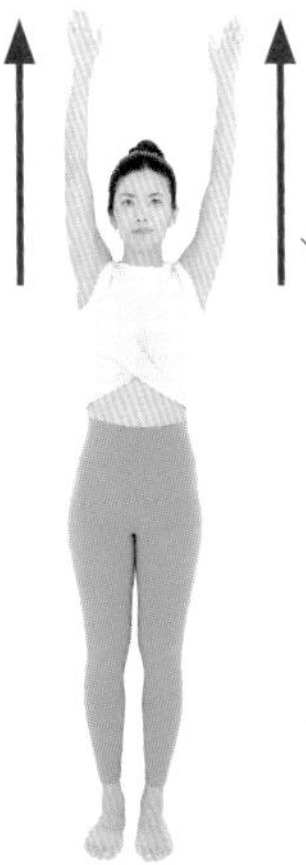

腕が
上がりやすくなったら
血流改善のサイン

3 数日続けたら 肩の可動域をチェック

悩み別

首コリ

小腸経《しょうちょうけい》・三焦経《さんしょうけい》をのばして、血液やリンパの渋滞を解消

この整体が効く！

首ほぐし

ねらい　首の緊張をゆるめ血行を促す

右手で
左腕の限界まで
引き上げる

ふ～
深呼吸

1

タオルの端を持ち背中側で引き上げる

左手にタオルを
巻きつけると
やりやすい

！　感じよう

左の腕と肩甲骨への
刺激を感じる

2

タオルを右肩に引っ掛け
頭を右へゆっくり倒し
左首をのばす

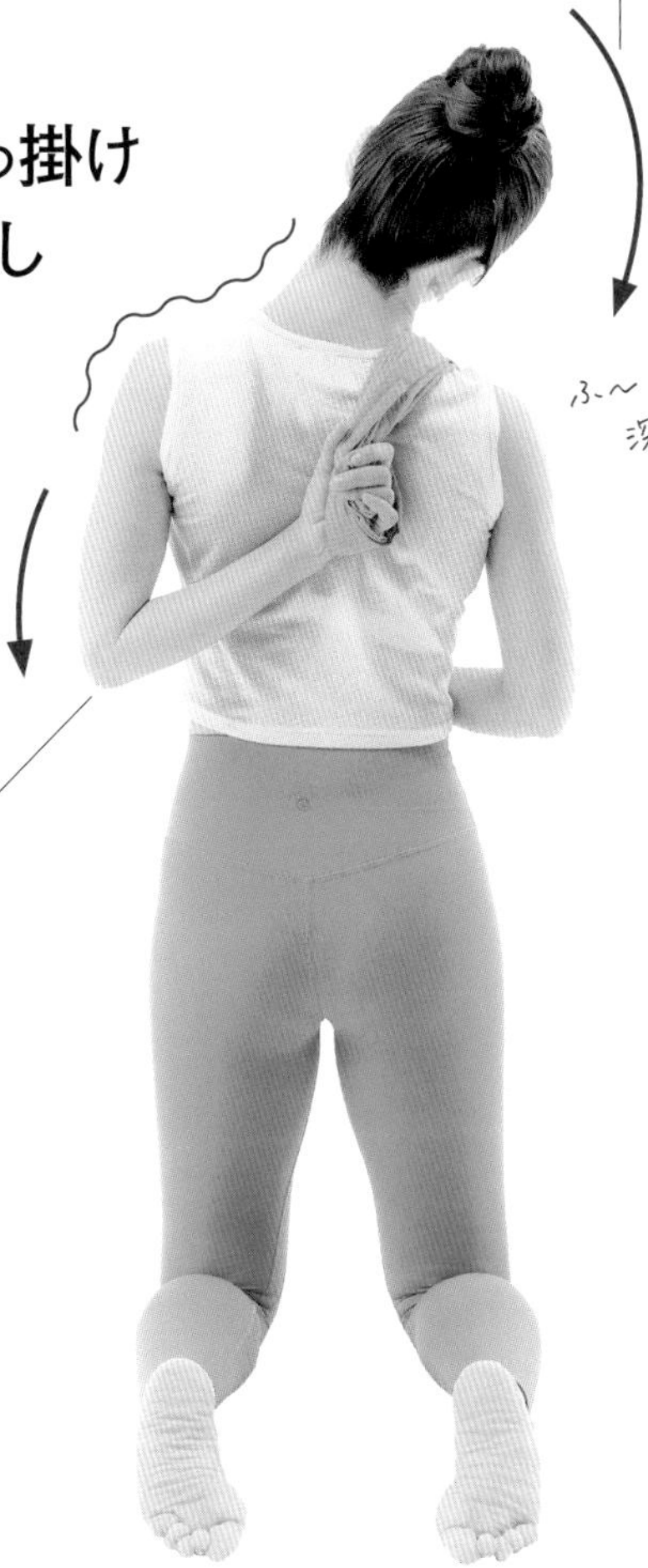

！ 感じよう

左肩を下げて、
首・肩ののびを感じる

3

反対側も
同様におこなう

※硬い側は長めにおこなう

悩み別

ストレートネック

のど周囲をほぐし、首コリや肩コリも解消

この整体が効く！

ストレートネックのばし

ねらい のどの緊張をとり、血流を促す

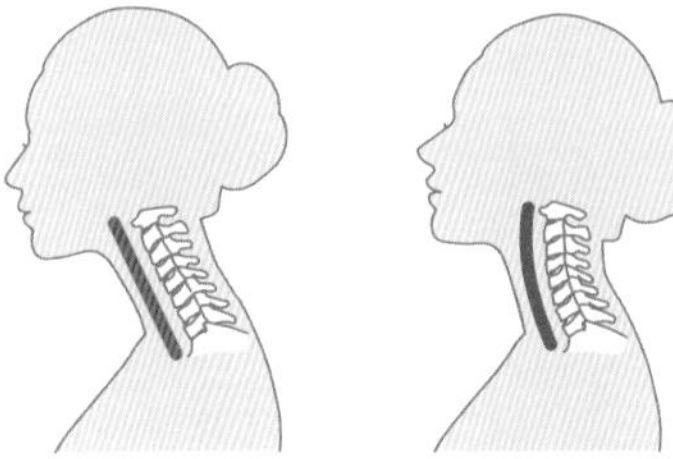

ストレートネック　　正常な頸椎

MEMO

首が本来のC字状に戻れば頭痛や肩コリなども改善

1

両手にアゴを乗せ
じんわり
のどをのばす

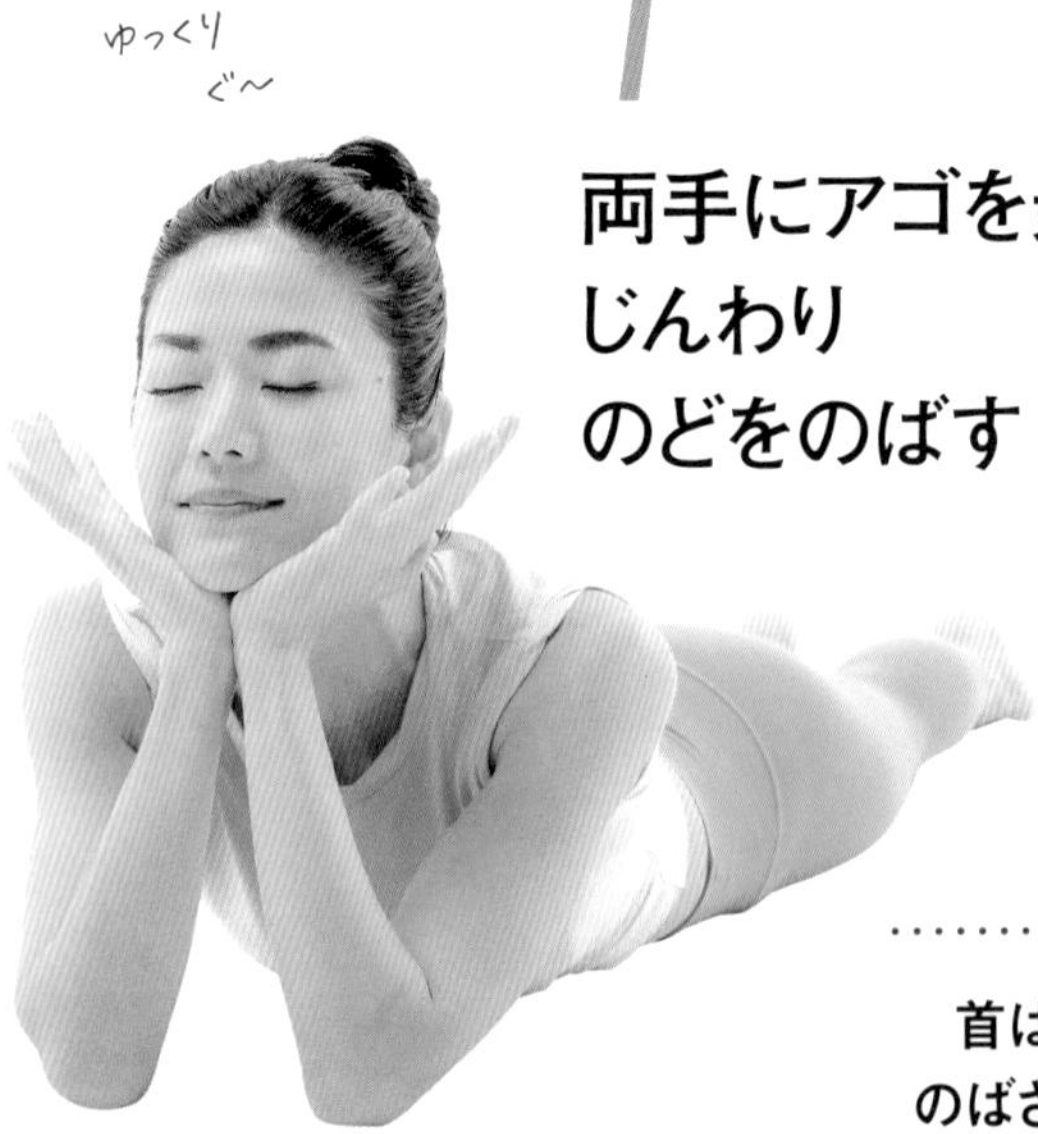

POINT

首は決して強く
のばさず、ゆっくり
じんわりやさしく

2

頭をゆっくり左右に動かす

POINT

ゆっくり
じんわり動かす

! 感じよう

のど周囲の
のびを感じる

★首は傷めやすい場所。
やりすぎず、ほぐれを
感じたらやめる

オフィスでもできる!

両ひじをデスクについて
おこなう

悩み別

便秘

腸腰筋の緊張をゆるめ、腰椎の神経を解放するのが便秘解消の早道

この整体が効く！

鼠《そ》径《けい》部のばし

ねらい　腰の緊張をほぐし便を動かす

ひざ立ちになり鼠径部をぐ〜っとのばす

1

両手は左ひざへ。重心をぐ〜っと前へ
鼠径部をのばす

MEMO

この時、下半身と上半身をつなぐ腸腰筋もほぐれている

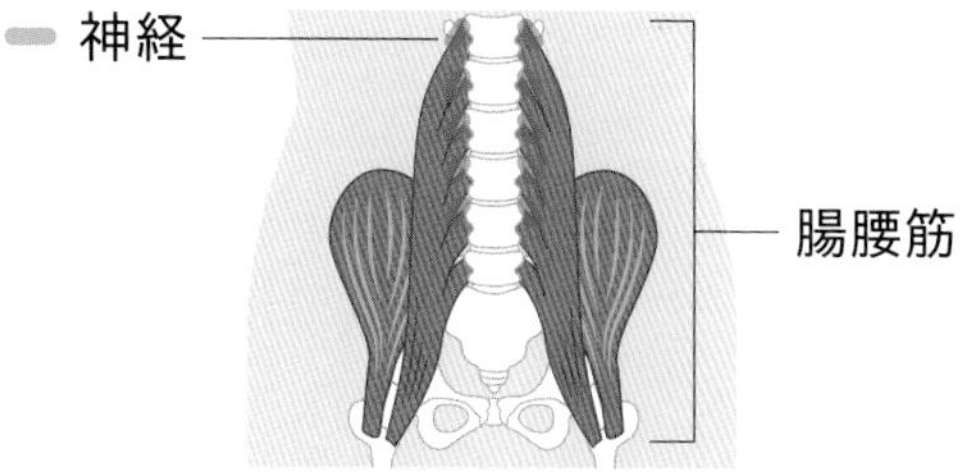

2 鼠径部をのばしながら右の横腹をマッサージ

MEMO

腸腰筋をほぐすことで腰椎間から出ている神経の緊張も解放。その神経が便を動かす

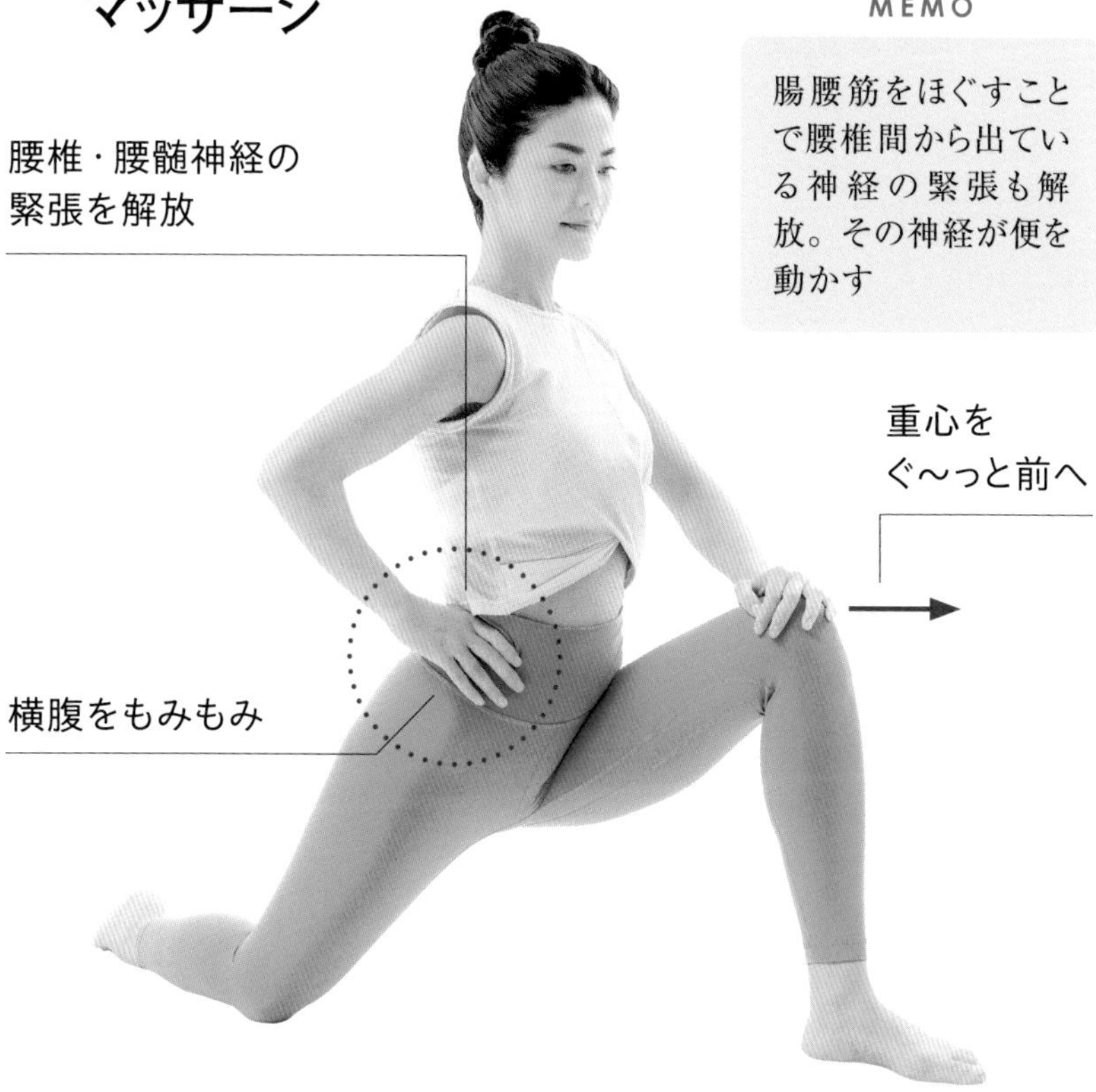

★転倒しないように十分気をつける

3 反対側も同様におこなう

※硬い側は長めにおこなう

悩み別

冷え・むくみ

6本の経絡が通る足先を刺激して、滞りをいっきに解消

この整体が効く!

足先ほぐし

ねらい　足首周辺の詰まりを押し流す

1

足の親指を引っ張り上げる

しばらく
刺激を感じる

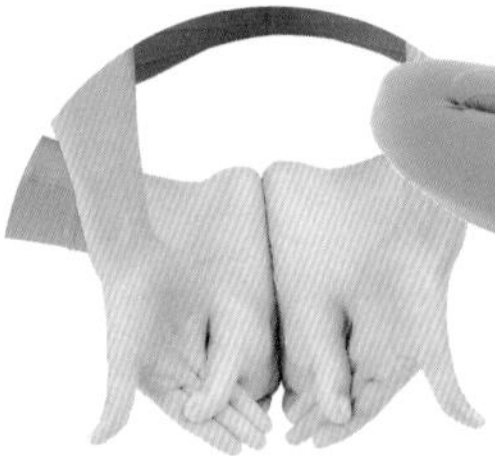

4本指で親指を
引っ張り上げる

2

親指を外側にゆっくり大きく回す

体も前後にゆする
ユラユラ

3

土《つち》踏《ふ》まずを
かかとで踏む
両足おこなう

····· POINT ·····

**両手でひざを
ゆっくり回すと、
より刺激される**

·················

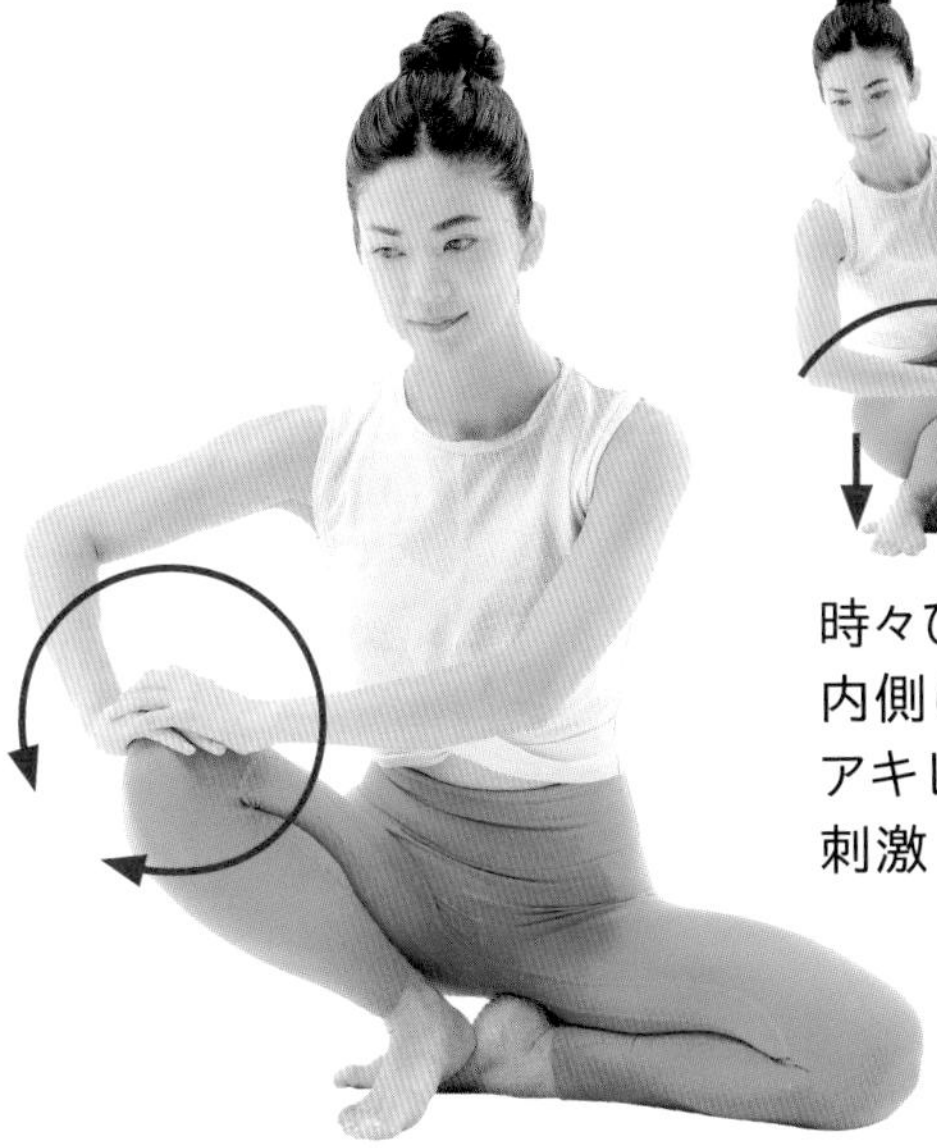

時々ひざを
内側に倒して
アキレス腱を
刺激

コリをさがしながら
かかとを移動

手はひざ、
両ひざは
なるべく開く

4

しゃがんで1cm ほど
上下にバウンド

両かかとどうしをつけ、
つま先立ち

！ 感じよう

**足首の前側とアキレス腱に
刺激を感じる**

悩み別

猫背・骨盤後傾

解消ポイントは骨格を支えるお尻の筋肉の強化

この整体が効く！

お尻の筋肉を鍛える

エアー縄跳び

ねらい 姿勢をキープする土台をつくる

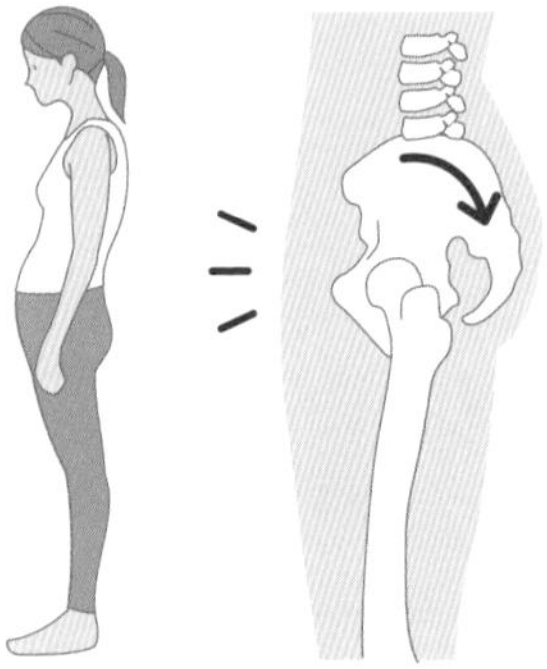

MEMO

猫背や骨盤後傾は
下半身の筋力低下
がおもな原因

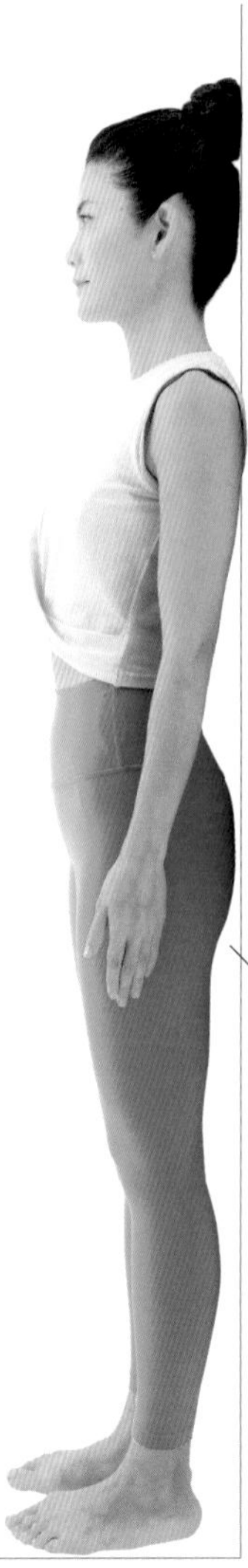

1

壁を背にして
お尻にきゅっと
力を入れる

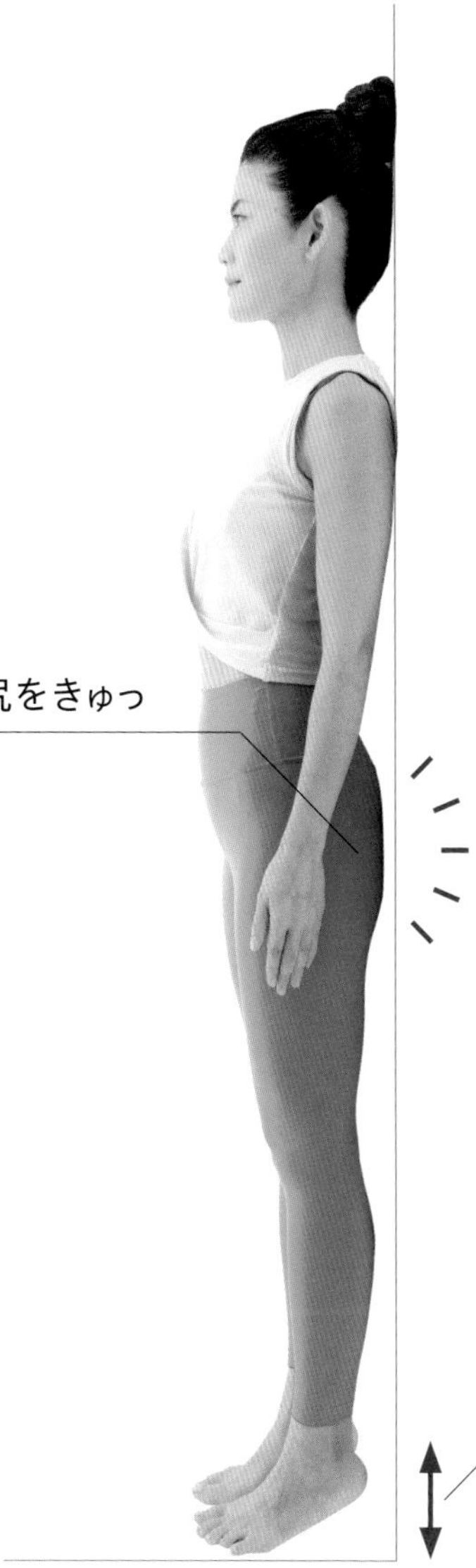

2

お尻にきゅっと力を入れながら縄跳びのリズムでかかとを数十回上げ下げ

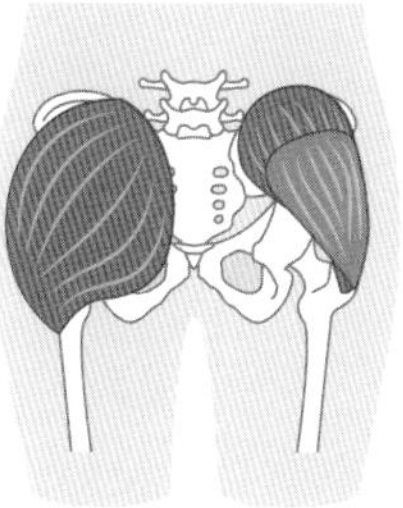

POINT

お尻の筋肉強化が姿勢維持のポイント

このお尻筋トレもオススメ

太ももの真ん中より下にベルトやタオルを巻きつけ、脚を開いてそれを破ろうと反発、この微細な動きが効く

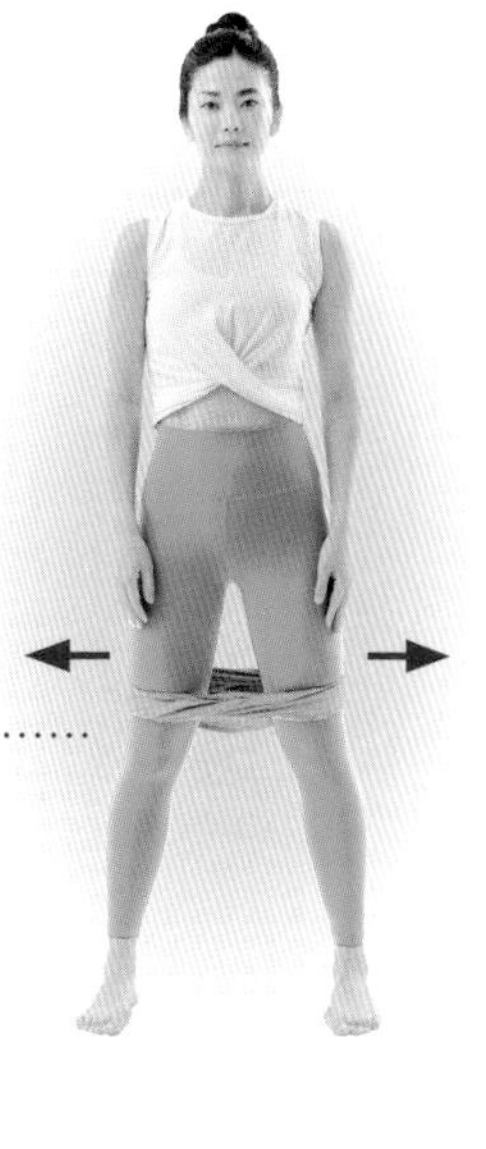

悩み別

目の疲れ・かすみ目

経絡刺激やツボ押しで自律神経をゆるませ、症状緩和

この整体が効く！

眼筋《がんきん》ほぐし

ねらい 目のまわりの血流を促す

1 遠くを眺める

遠くを眺めることで
眼筋をゆるめる

2 眼球の上にある頭蓋骨《ずがいこつ》のくぼみを親指で10秒指圧

目頭の少し上

3 耳をやさしく10秒引っ張る

両手中指で
息を吐きながら指圧

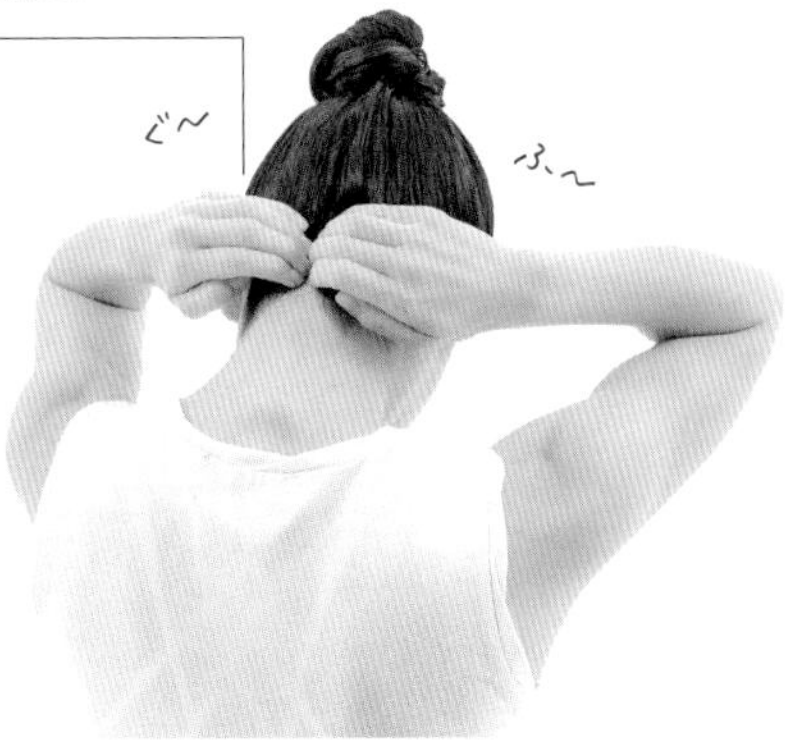

4 首の後ろの「ぼんのくぼ」のツボを10秒指圧

「ぼんのくぼ」のツボ

毛の生え際にある少しくぼんだ場所。
効能は眼精疲労・頭痛・肩コリなど

MEMO

これはマイボーム腺（下図）から油を出してドライアイ改善にも役立つ

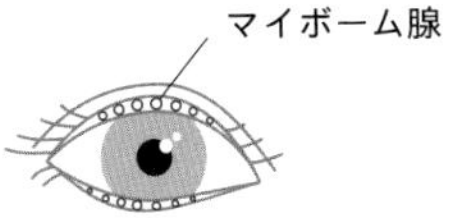

5 強くマブタを10秒閉じる

悩み別

自律神経の乱れ・高血圧

交感神経と副交感神経のはたらきを整える

この整体が効く！

井穴《せいけつ》の指圧

ねらい 交感神経の緊張をゆるめる

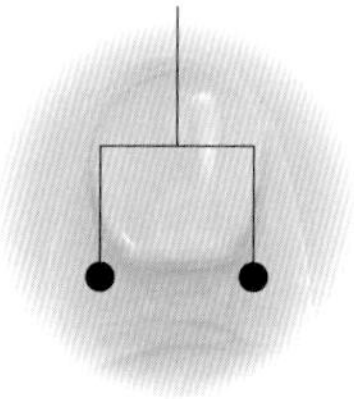

井穴のツボ

手の指先すべてにある。爪の生え際の下あたり。自律神経の乱れを整えるツボ

井穴のツボを指圧する（10本の指すべて）

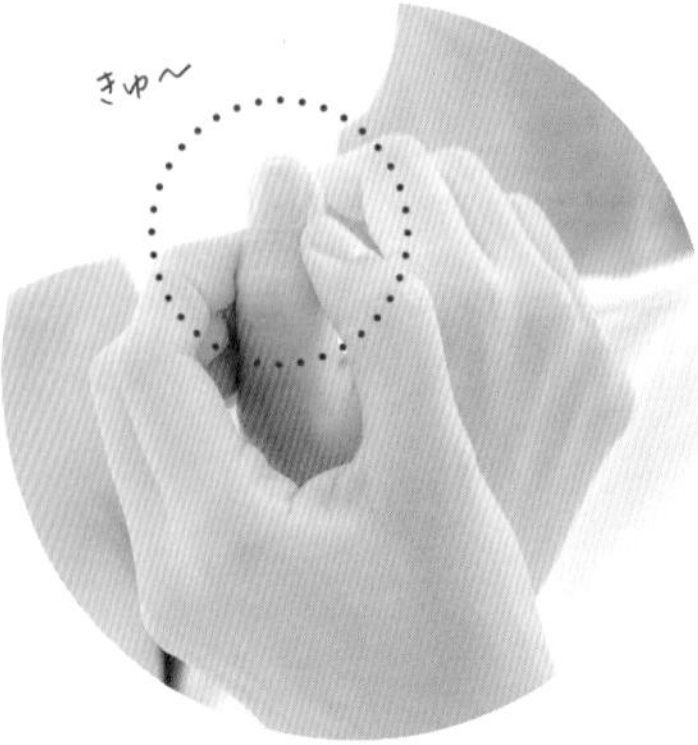

指圧されている方の手をゆする

POINT

親指の腹と、人差し指の横の骨ではさむ

悩み別

偏頭痛・耳鳴り

三焦経を刺激して耳の後ろをほぐし、詰まりをとる

この整体が効く!

乳《にゅう》様《よう》突《とっ》起《き》の持ち上げ

ねらい　首周辺の血流・リンパの流れ改善

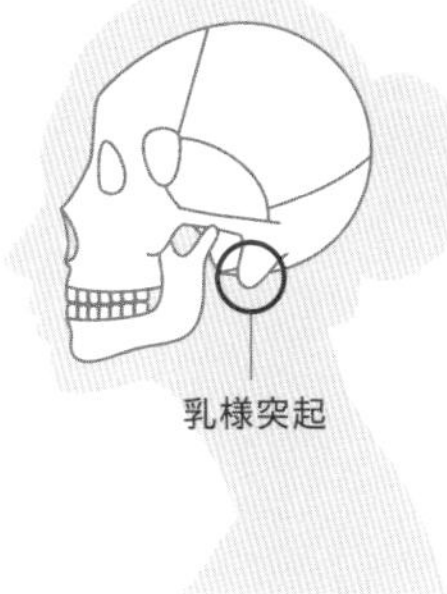

乳様突起を持ち上げる

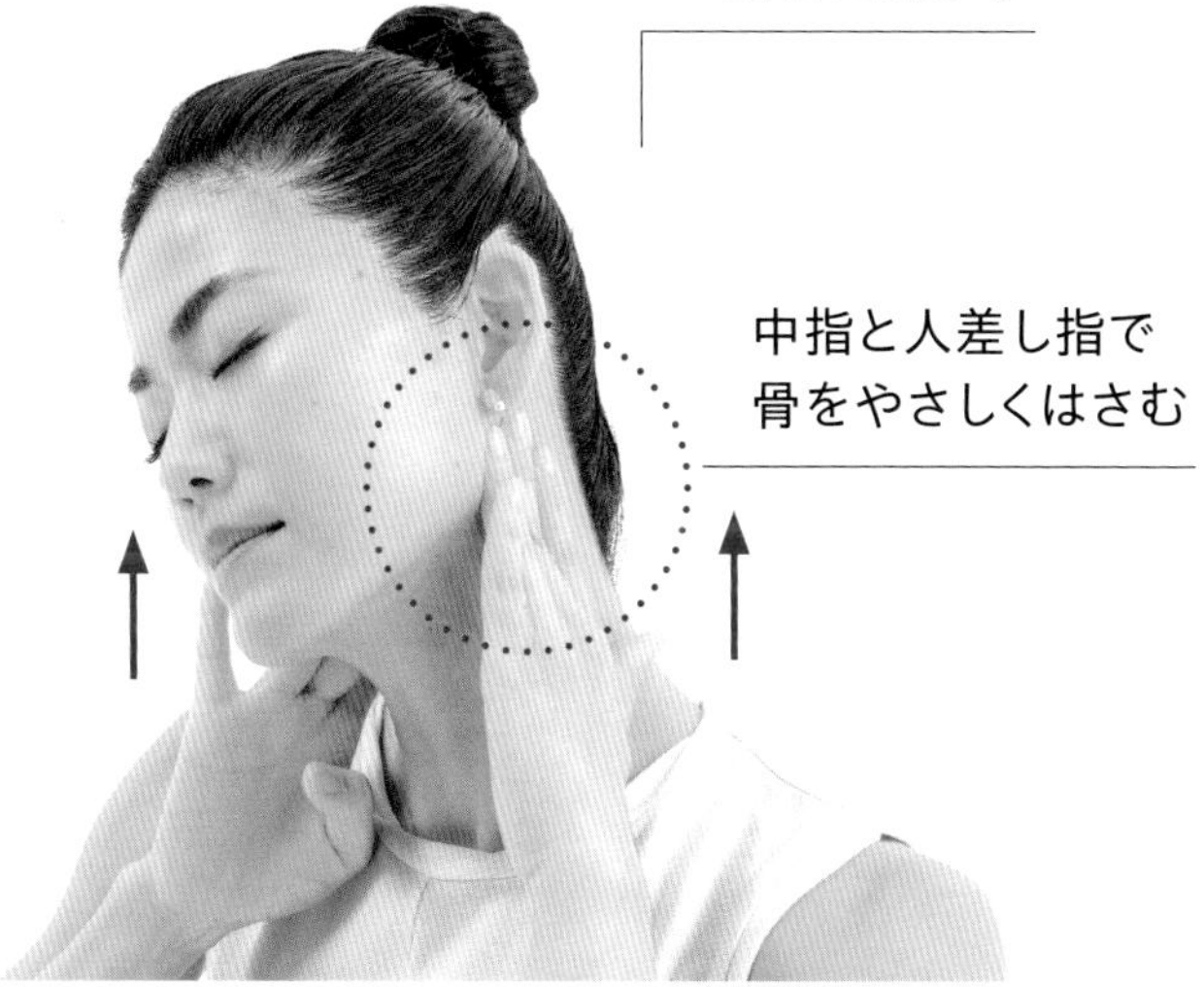
首をゆっくり
左右に動かす

＊三焦経（36ページ）を刺激する「7分コース」（94ページ）もオススメ

POINT

カツラをはずすような イメージで、ゆっくり持ち上げる

悩み別

呼吸が浅い

腹式呼吸で副交感神経《ふくこうかんしんけい》を優位に。不眠も解消

この整体が効く！

30秒呼吸法

ねらい　体中に酸素と「気」をめぐらせる

1

10秒間
鼻から息を吸って

お腹に軽く
手をそえ、
お腹をふくらませる

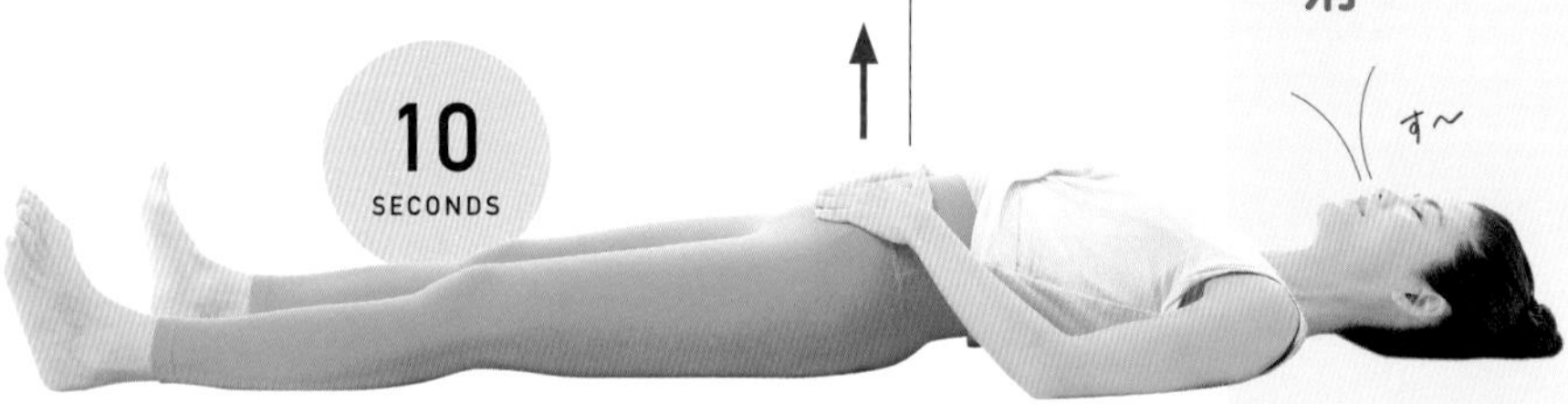

＊苦しくなったらムリはせず、
秒数は各7秒くらいでもOK

2 10秒間息を止める

息を止めて
お腹のふくらみをキープ

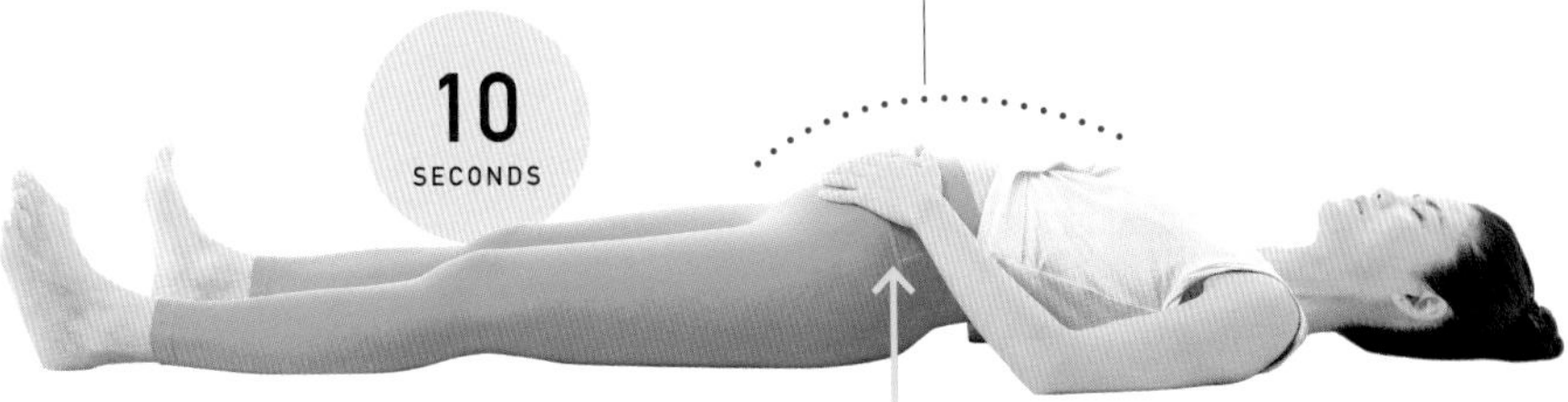

！ 感じよう

**お腹を軽くポン！と
たたいてふくらみを確認**

お腹がぺたんこに
なるまで息を吐ききる

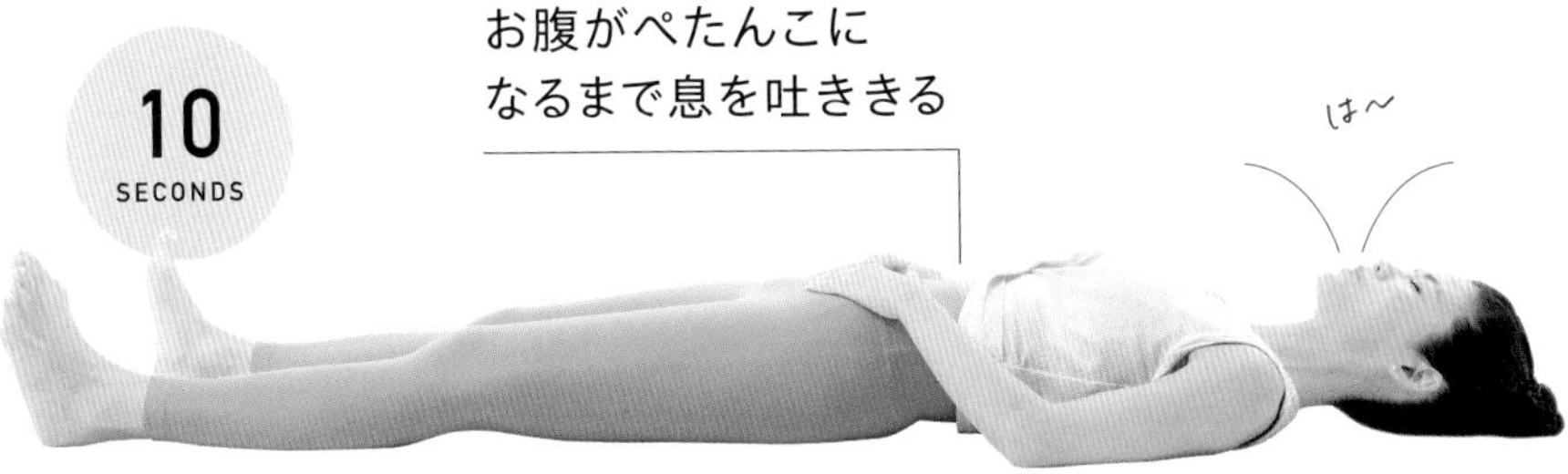

吐きながら、
腰の力を抜いていく

3 10秒かけて ゆっくり 口から息を吐く

4 2セット おこなう

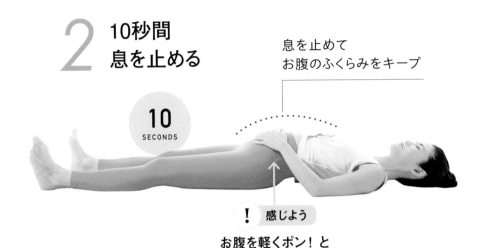

悩み別

熟睡できない・更年期《こうねんき》の不調

下半身をほぐして体をゆるめて、熟睡モードへ導く

この整体が効く！

下半身の脱力

ねらい　脱力を促し、副交感神経を優位に

1 左ふくらはぎを右ひざに乗せ上下にマッサージ

ゆっくりすりすり

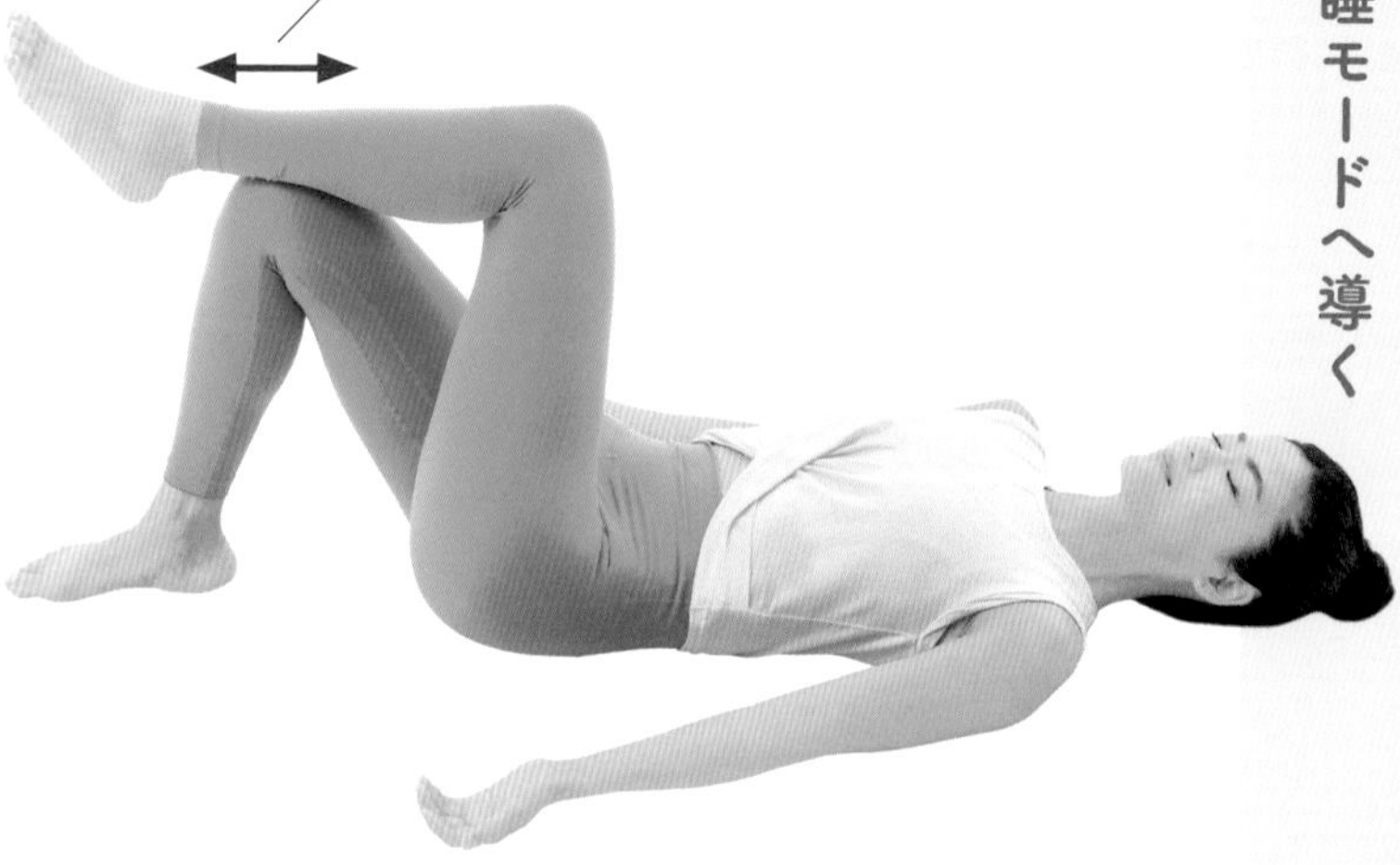

POINT

ふくらはぎは膀胱経（P35）の通り道。詰まりをほぐすと脳がゆるむ

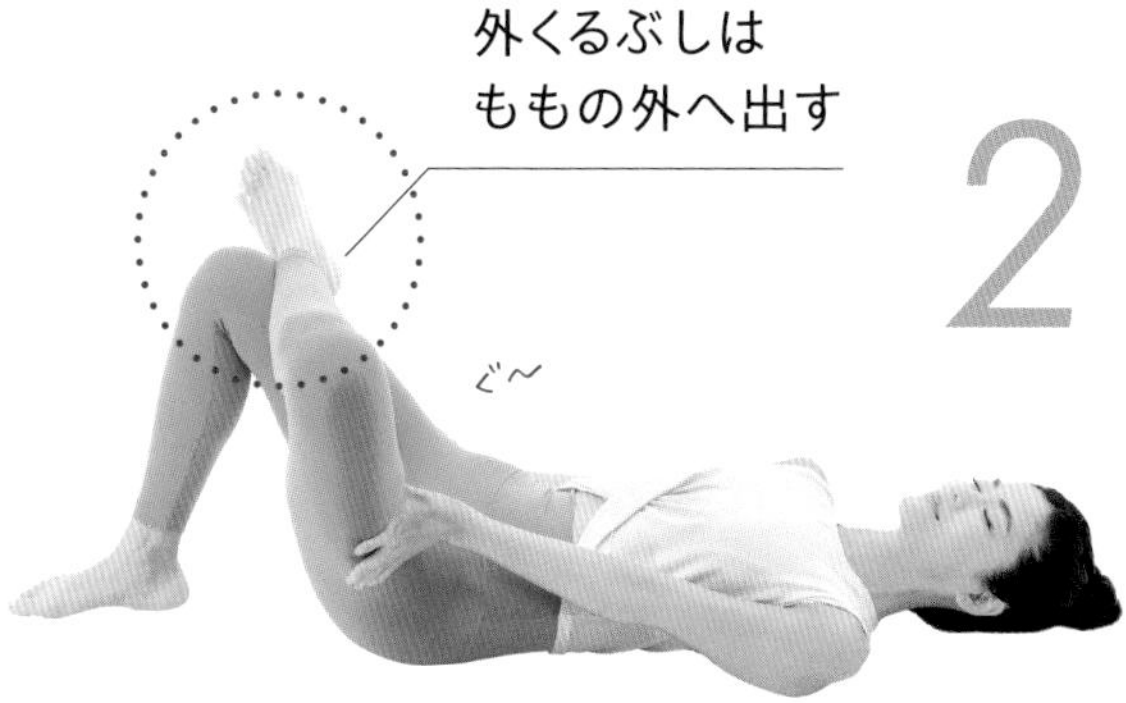
外くるぶしは
ももの外へ出す
ぐ~

2 左の足を右ももへ 左手で左ももを 押さえひざを開く

・・・・・・・ POINT ・・・・・・・

左ももを奥へと
ぐ~っと押し続ける

・・・・・・・・・・・・・・・・・・・・

3 脚を天井に のばしタオルで 足裏をこする

こしこし

4 反対側も 同様におこなう

5 腹式呼吸

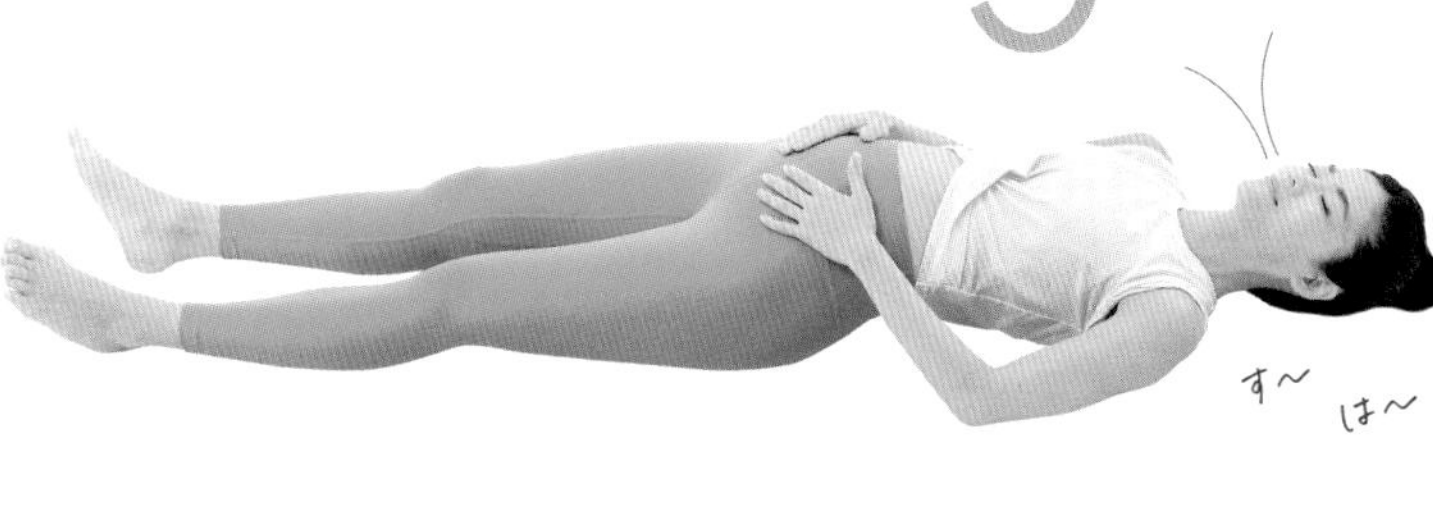
す~
は~

悩み別

目覚めが悪い・だるい

睡眠・覚醒のリズムを正常に

この整体が効く！

目の刺激

ねらい 体内時計の乱れを整える

1

朝、外の光を浴びる

曇天・雨天の日は
照明の明かりでも OK

印の部分をマブタに
やさしくあてる

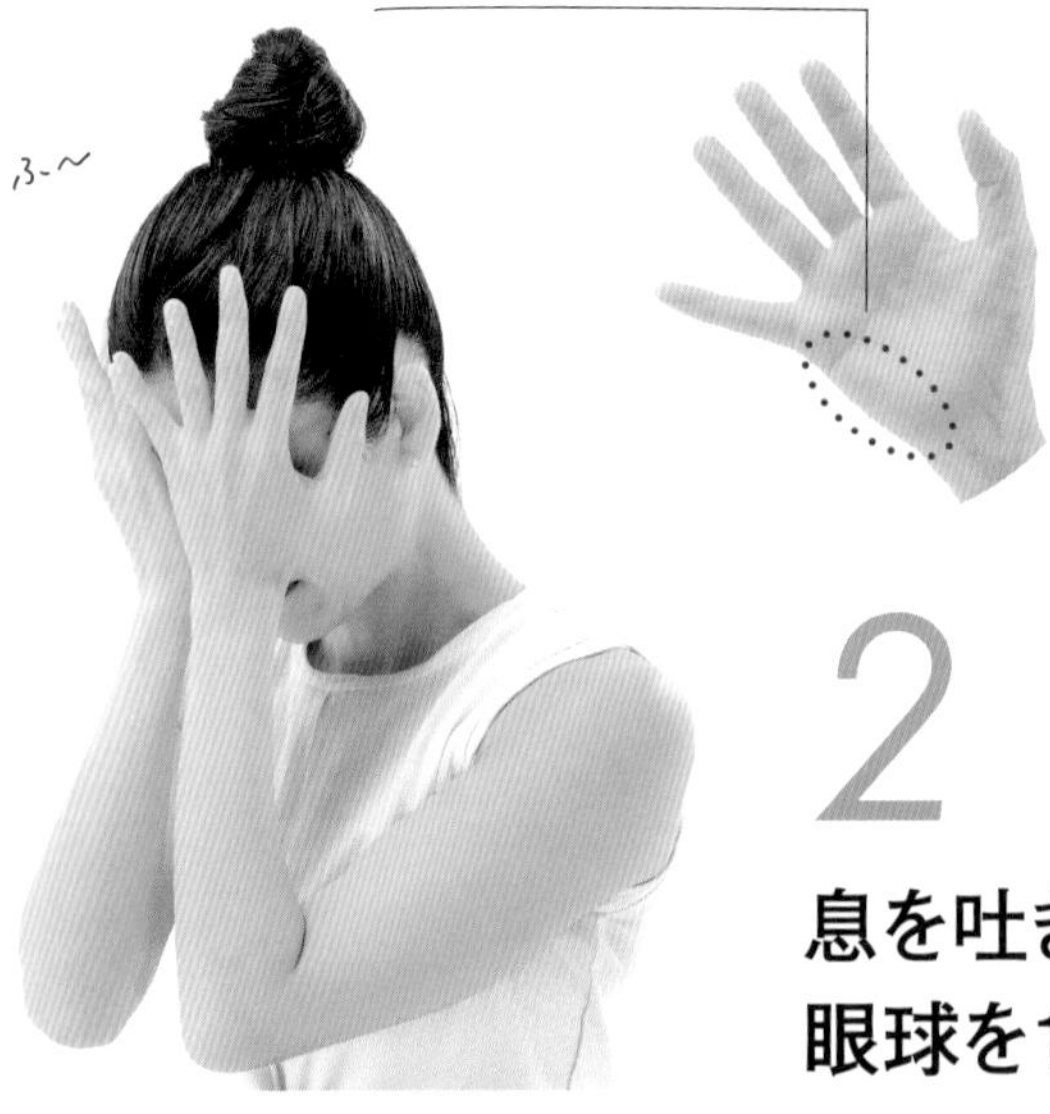

2

息を吐きながら眼球を10秒指圧

3 眼球の上にある頭蓋骨のくぼみを親指で10秒やさしく指圧

4 強くマブタを閉じる

5 乳様突起（73ページ）を持ち上げる

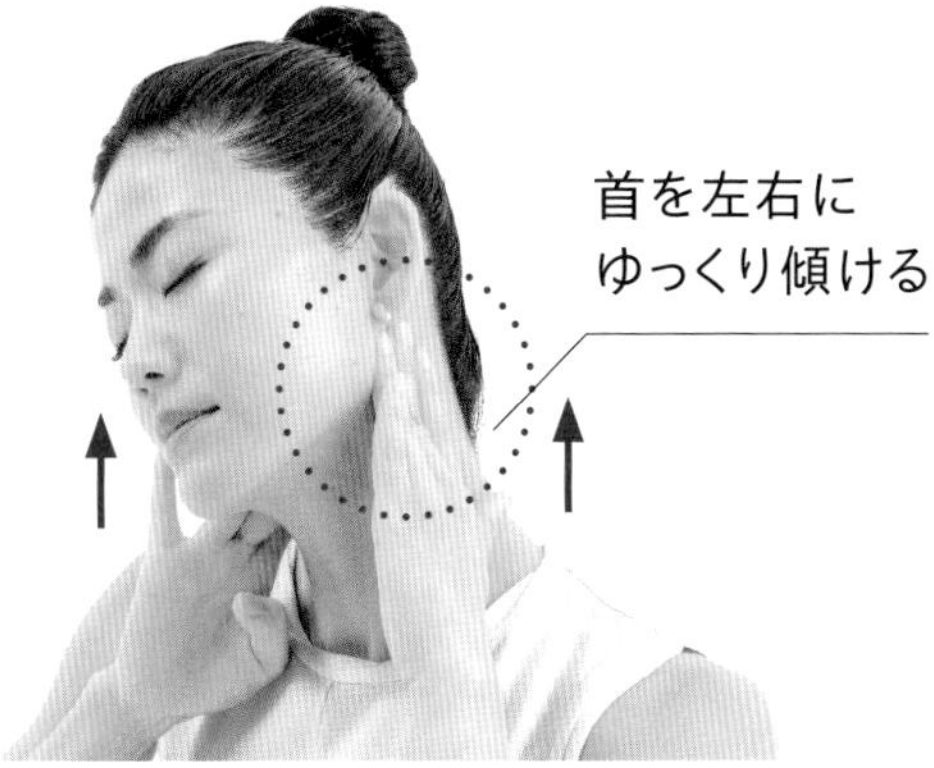

6 ふたたび外の光を浴びる

悩み別

緊張・不安・パニック障害

心が張り詰めた時、落ち着くツボ

この整体が効く！

膻中《だんちゅう》のツボ押し

ねらい 気分の高ぶりを鎮《しず》めてリラックス

膻中のツボ

左右の乳頭を結んだ線の中央にある。興奮を鎮める作用がある

息を吐きながら膻中のツボを中指で指圧

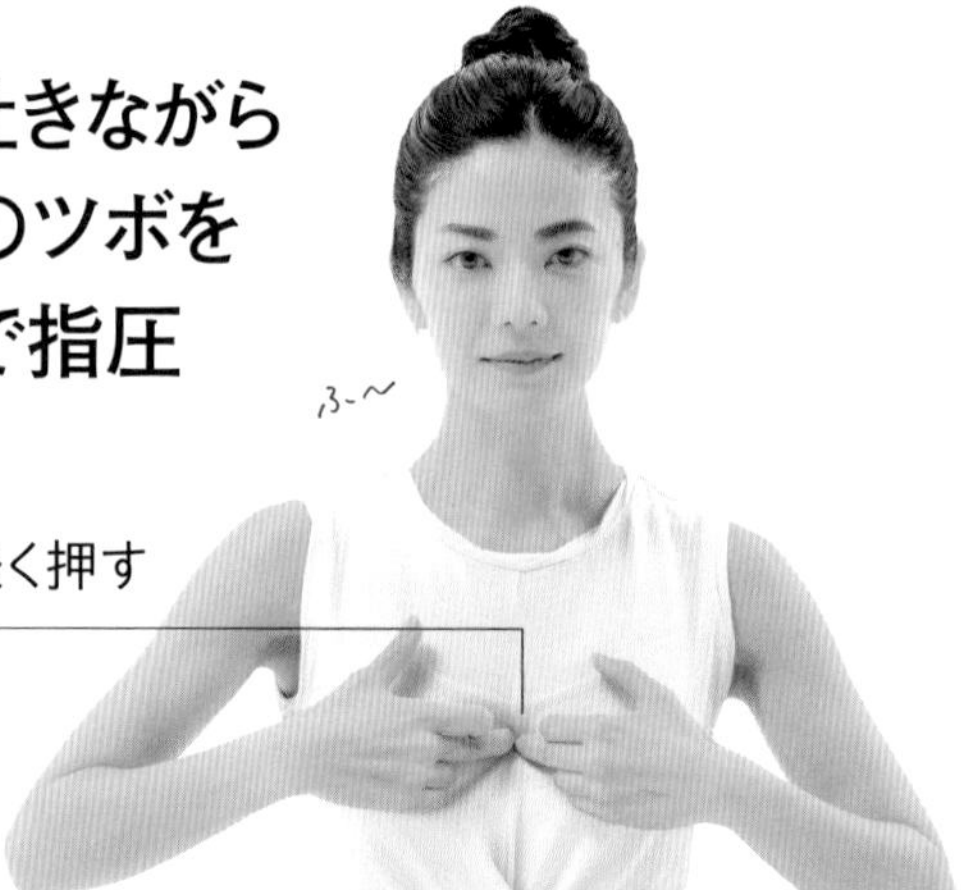

POINT

30秒呼吸法（74ページ）も一緒におこなうと、より効果的

LESSON

3

【動画つき】
効果倍増!
驚くほどほぐれる
4つのコース

しっかりほぐす3分・5分・7分・20分の4つのコース。
どのコースも経絡やツボを刺激しながら血流改善。
痛みやコリ、ゆがみを取り除きます。
コースを連続して35分間おこなえば、より体はラクに!

どのコースも血流改善、痛みやコリ、ゆがみを解消！

4つのコースを効果的におこなうヒント

コースは時間やシーンで選ぶ

……座ったまま、立ったままできる3分・7分コースはオフィスなどでも実践可能。骨盤調整や熟睡したい時は20分コースを。※コースの時間は目安です

4つのコースを連続しておこなうとより体はラクに！（合計約35分間）

……その場合、3分、5分、7分、20分の順番でおこなうと、より効果的。

痛い時はムリせず途中でやめる

……動きはゆっくり、自分のペースであせらずに。

慣れるまで本と動画を観ながら実践

……QRコードを読み取りリンク先へ。

＼ 好みのコースをえらんではじめよう! ／

【動画つき】4つのコース紹介

＊ 動画視聴はQRコードからアクセスしてください。
各コースへ直接飛びたい方は下記QRコードから

座ってほぐす 3分コース

指先の指圧や、小指・親指の経絡をのばして血流改善。おもに自律神経の乱れを整える

四つんばいでほぐす 5分コース

詰まりやすい手首を中心に、脇や胸、背中、ふくらはぎまでしっかりほぐす

立ってほぐす 7分コース

小腸経・三焦経・大腸経を刺激して、広範囲にわたる痛みやコリ、目の疲れ、不調を解消

あおむけで骨盤調整 20分コース

骨盤まわりをしっかりほぐし、下半身のむくみも解消。とても眠くなるので就寝前がオススメ

座ってほぐす　3分コース

指先の指圧や、小指・親指の経絡をのばして血流改善。おもに自律神経の乱れを整える

3 MINUTES

▼

動画はこちらから！

STEP 1

3 MIN

井《せい》穴《けつ》の刺激

自律神経を整える

1 井穴のツボを押す（10本の指すべて）

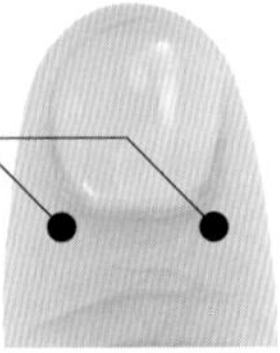
井穴

ユラユラ
指圧されている方の手をゆする

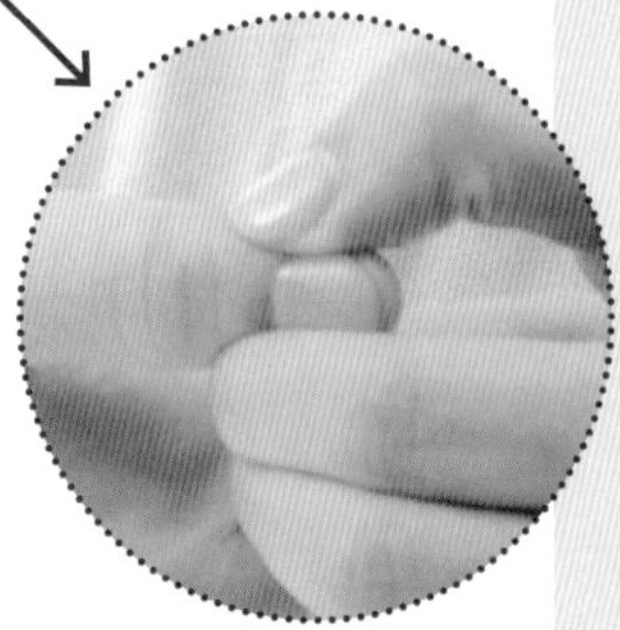

POINT

親指の腹と、人差し指の横の骨ではさむと圧をかけやすい

STEP 2

3 MIN 小指・親指の刺激

指の経絡をのばし、詰まりを流す

2 右の小指をつかみそらす

MEMO

小指をのばして心経・小腸経（P34）を刺激

上から
つかむ

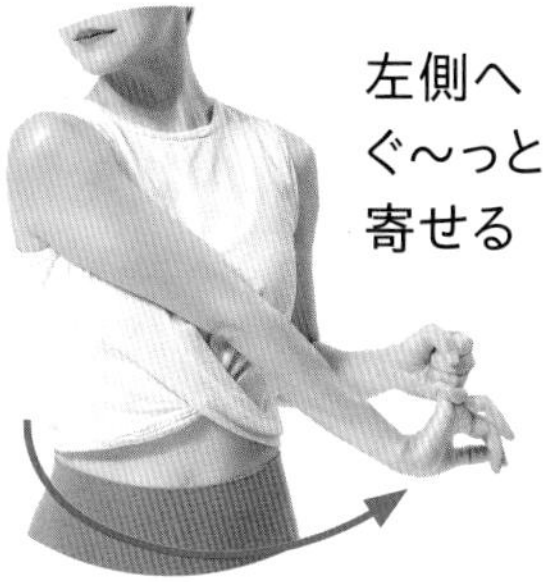

左側へ
ぐ～っと
寄せる

3 右手のひらを上へ 右の親指を下から つかみそらす

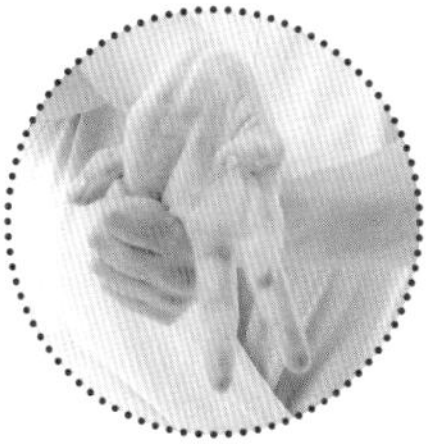

下から
つかむ

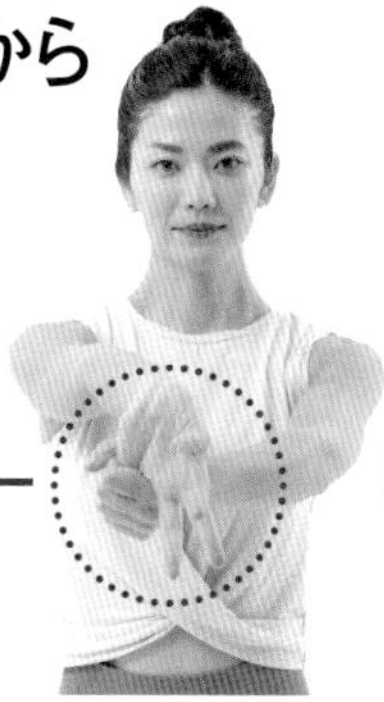

左側へ
ぐ～っと
寄せる

MEMO

親指をのばして肺経（P32）を刺激

4 反対側も同様に おこなう

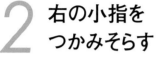

STEP 3

3 MIN

肩甲骨周囲の筋肉ほぐし

背中のコリをほぐす。腱鞘炎《けんしょうえん》にも効果的

5 右ひじを前にのばし

6 ひじと手首を内側に折り曲げ

7 左腕を下からくぐらせて

8 左手で右の小指側を押さえ前に押していく

★手首が痛い人は
両手のひらを合わせるだけでOK

9 背中を丸めて腕を左側へぐ〜っと寄せる

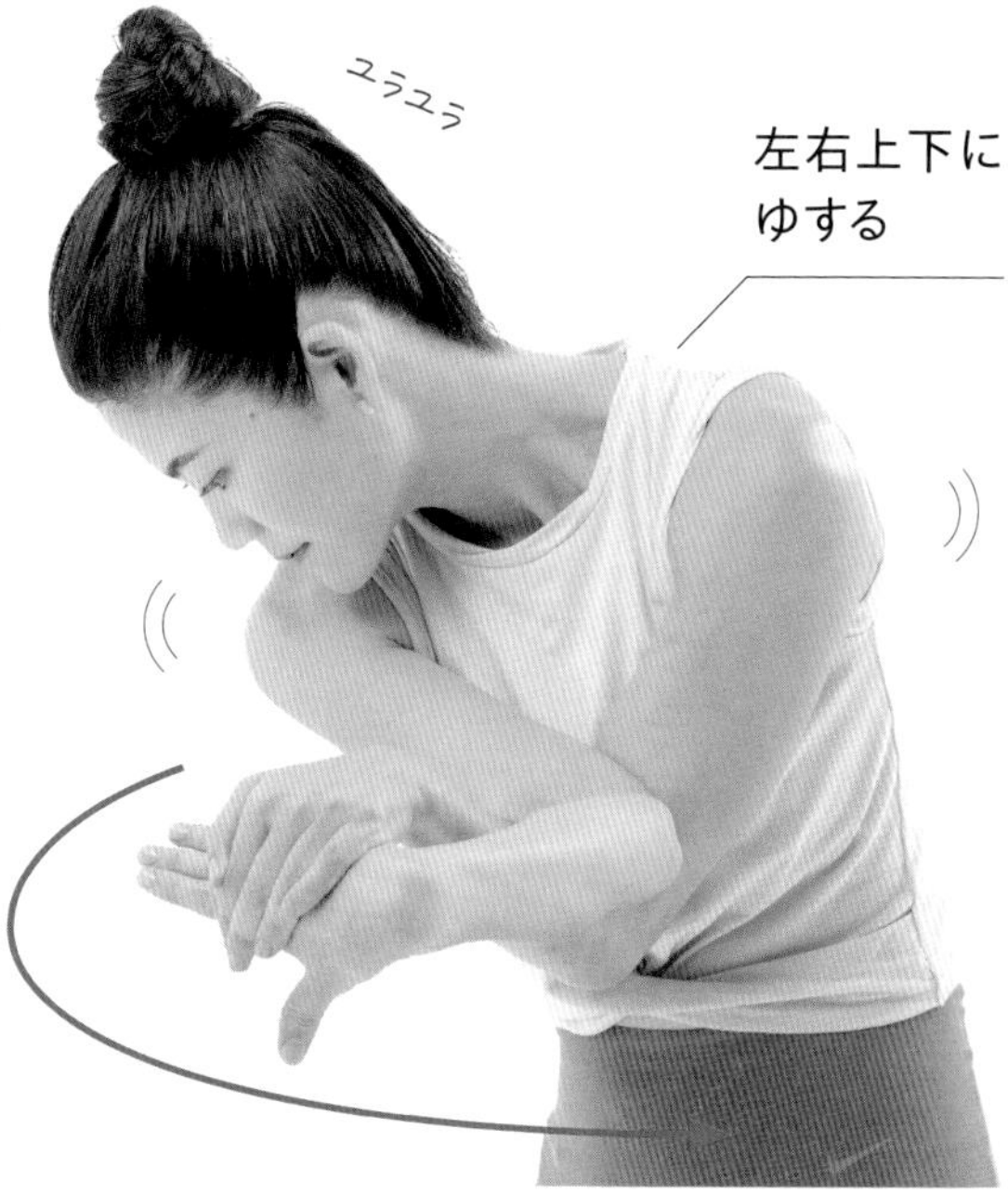

POINT

右の背中を
広げるイメージで
おこなう

10 反対側も同様におこなう

※硬い側は長めにおこなう

5 MINUTES

四つんばいでほぐす 5分コース

詰まりやすい手首を中心に、脇や胸、背中、ふくらはぎまでしっかりほぐす

動画はこちらから！

STEP 1

5 MIN

手首の刺激

首・肩コリ、目の疲れをとる

上体を
前後左右にゆする

1 両手の甲を床へ、手首に軽く体重をかける

! 感じよう

手首のほぐれを
感じる

手の指は
ひざ側に向ける

2 四つんばいになり右手の甲を床へ

STEP 2

5 MIN

内関《ないかん》のツボ押し

気分を落ち着かせる

3

右手を左ひざの方向へスライド

左ひざで手首の内側を踏む

4

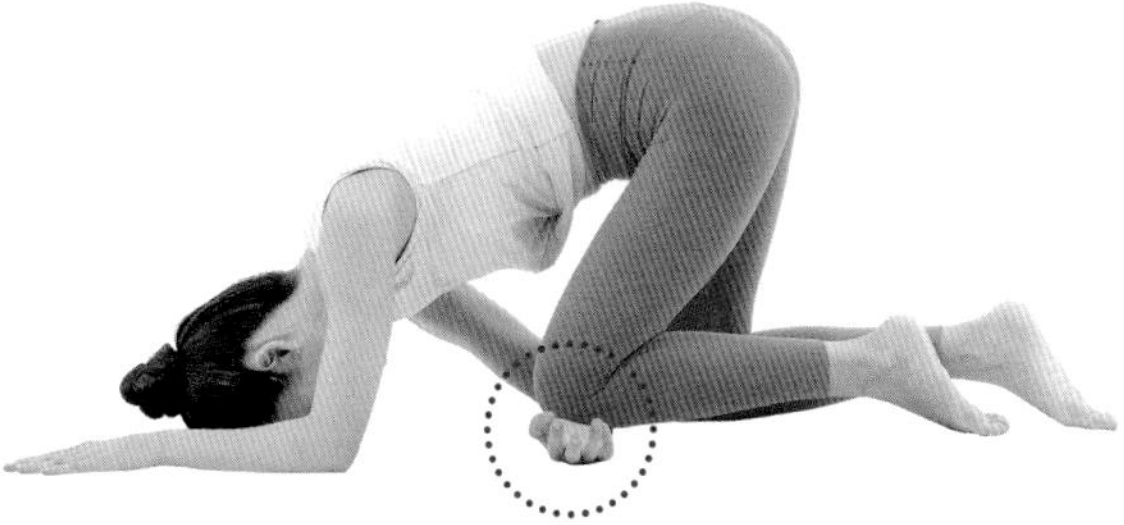

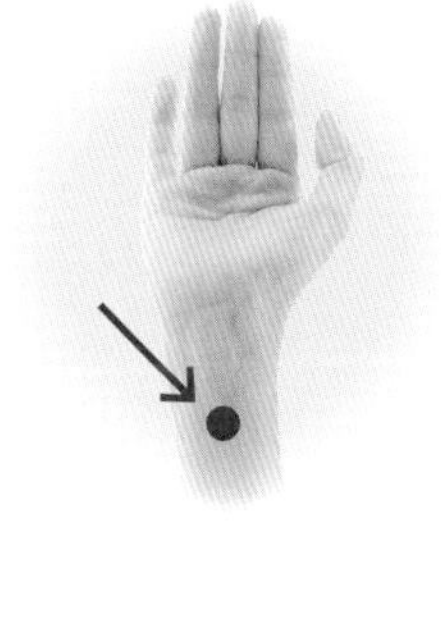

このあたりを刺激

脳をリラックスさせる「内関のツボ」（P36）周辺

5

両手をのばし
お尻をかかとに
つけて休む

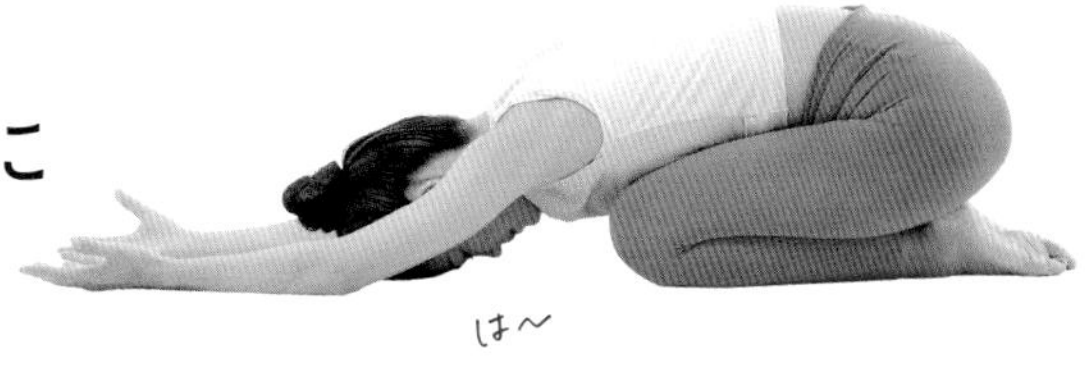

6

反対側も同様におこなう

STEP 3

5 MIN

胸・脇のばし

肩・背中のコリ、猫背解消

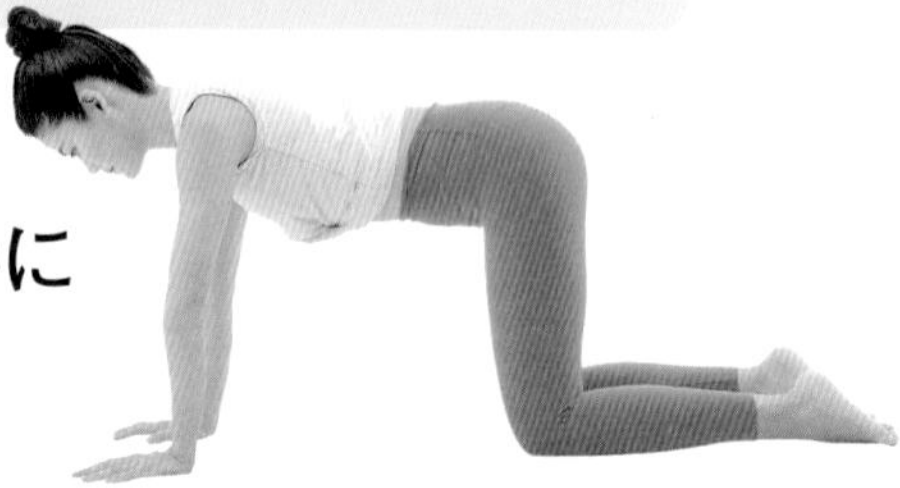

7 四つんばいに戻り

8 両腕をのばす

9 両手を合わせ頭の後ろへ

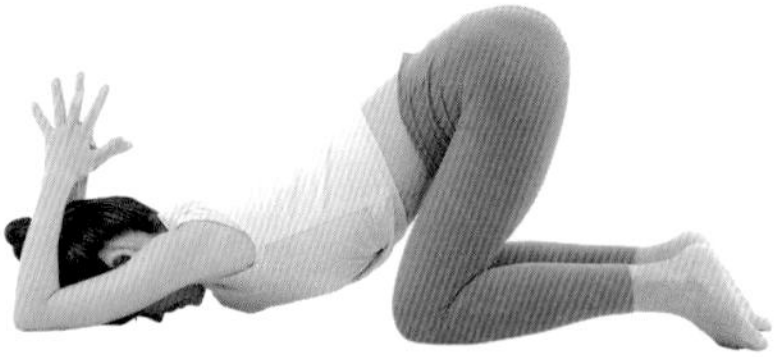

! 感じよう

胸・脇の
のびを感じる

10 深呼吸するたびに胸を床に近づける

11 手のひらを床に戻す

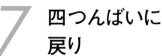

STEP 4

5 MIN

手首ほぐし

手のひらの刺激で呼吸がラクに

★つらい人は手の位置をひざに近づけたりして刺激を調整

足の指をそらせる

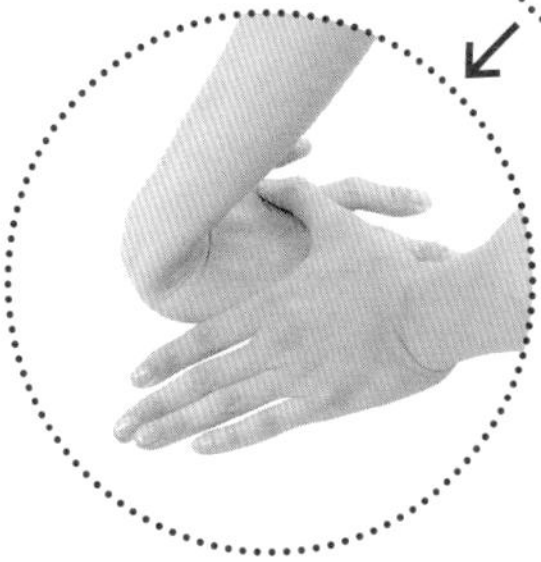

12 右手の指をひざ側に向け左手で右の指の付け根を押さえる

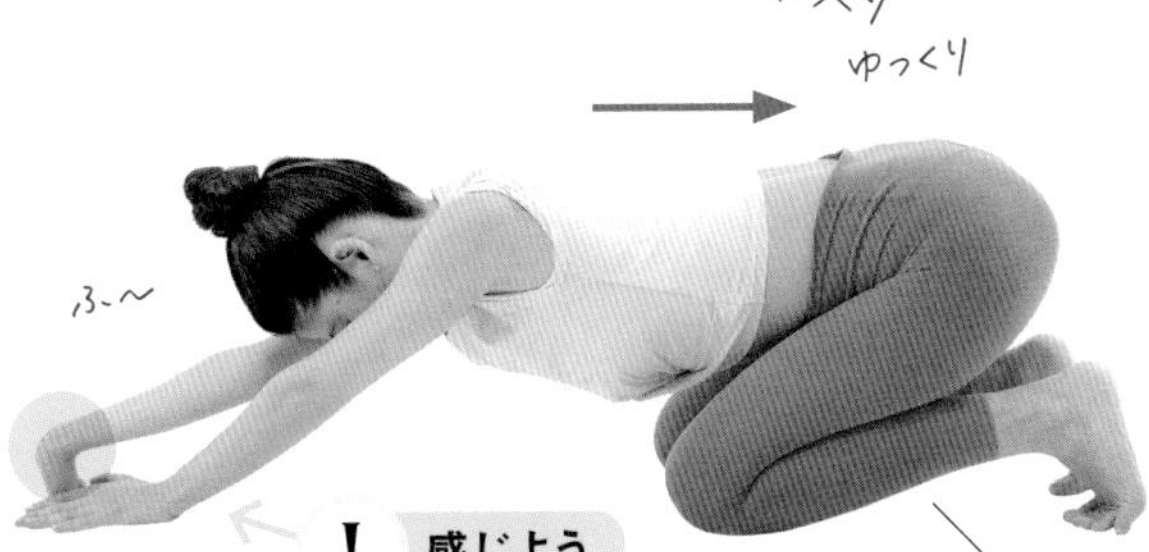

! 感じよう
手の指・手のひらのほぐれを感じる

体は前後にゆする

MEMO

手首の心包経（P36）、心経、肺経を刺激

13 息を吐きながらゆっくりお尻をかかとへ近づける

← つづく

← 前ページより

14 右手の甲を床へ。ほぐれを感じる

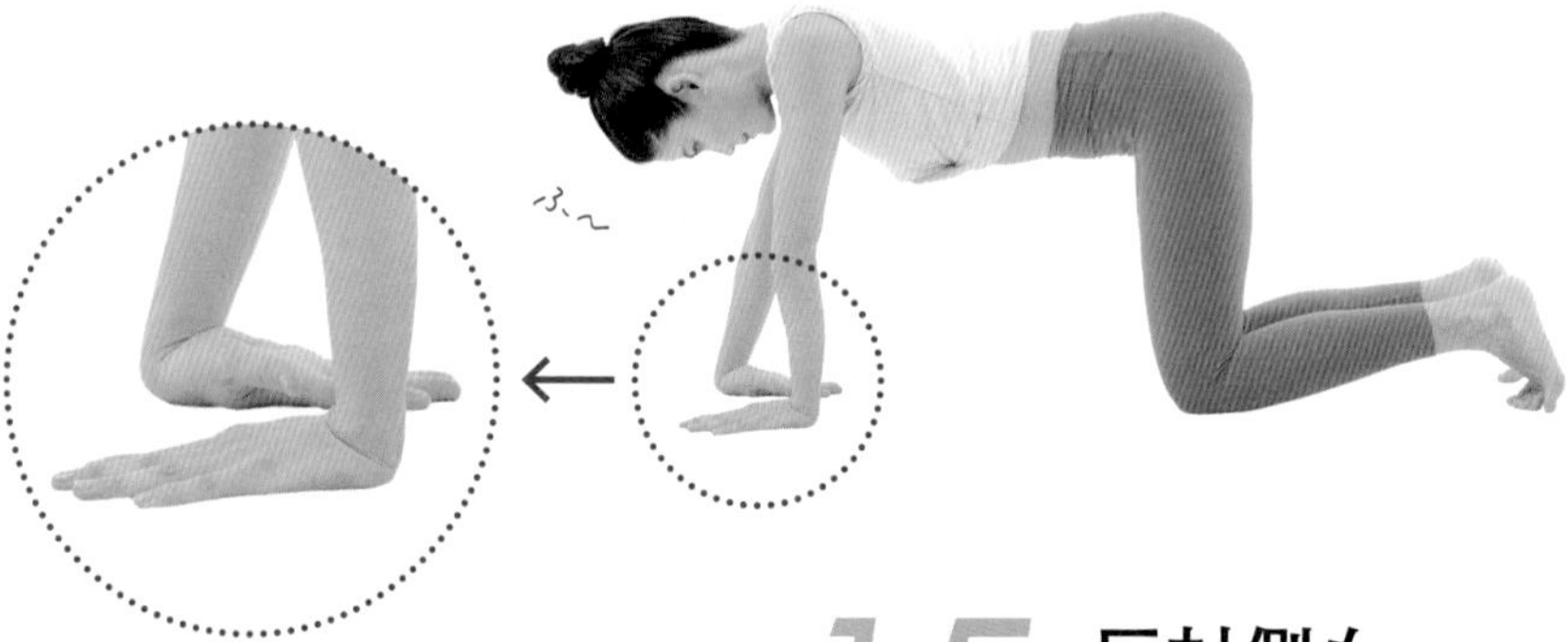
ふ〜

15 反対側も同様におこなう

※硬い側は長めにおこなう

16 四つんばいに戻る

足の指は戻し
両ひざを
閉じる

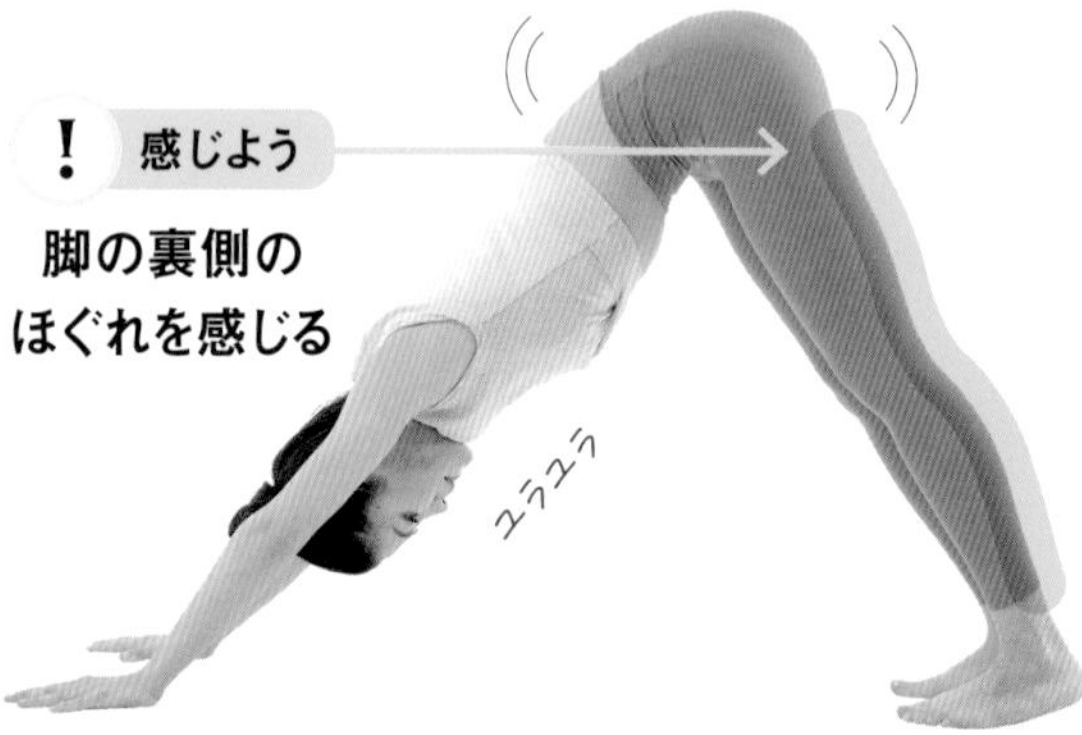
! 感じよう
脚の裏側の
ほぐれを感じる
ユラユラ

17 両ひざを持ち上げ両手で軽く前後にゆらす

STEP 5

5 MIN

踏み込み

冷え・むくみ改善

18

**左足を踏み込み
右手で床を押す**

5回カウント

! 感じよう

脚の裏側の
ほぐれを感じる

19

**右足を踏み込み
左手で床を押す**

5回カウント

20

**もう一度
両ひざをのばす**

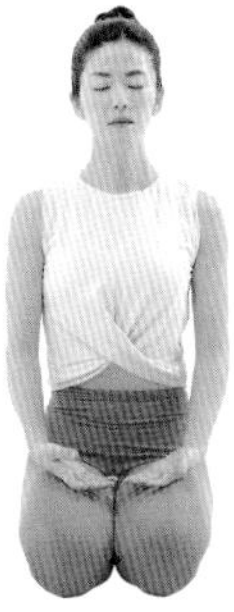

21

**かかとをそろえ正座。
深呼吸して終了**

立ってほぐす　7分コース

7 MINUTES

小腸経・三焦経・大腸経を刺激して、
広範囲にわたる痛みやコリ、目の疲れ、不調を解消

動画はこちらから！

STEP 1

7 MIN

硬さチェック

肩や胸の硬さを確認

1

両手を
ぶらぶらぶら〜

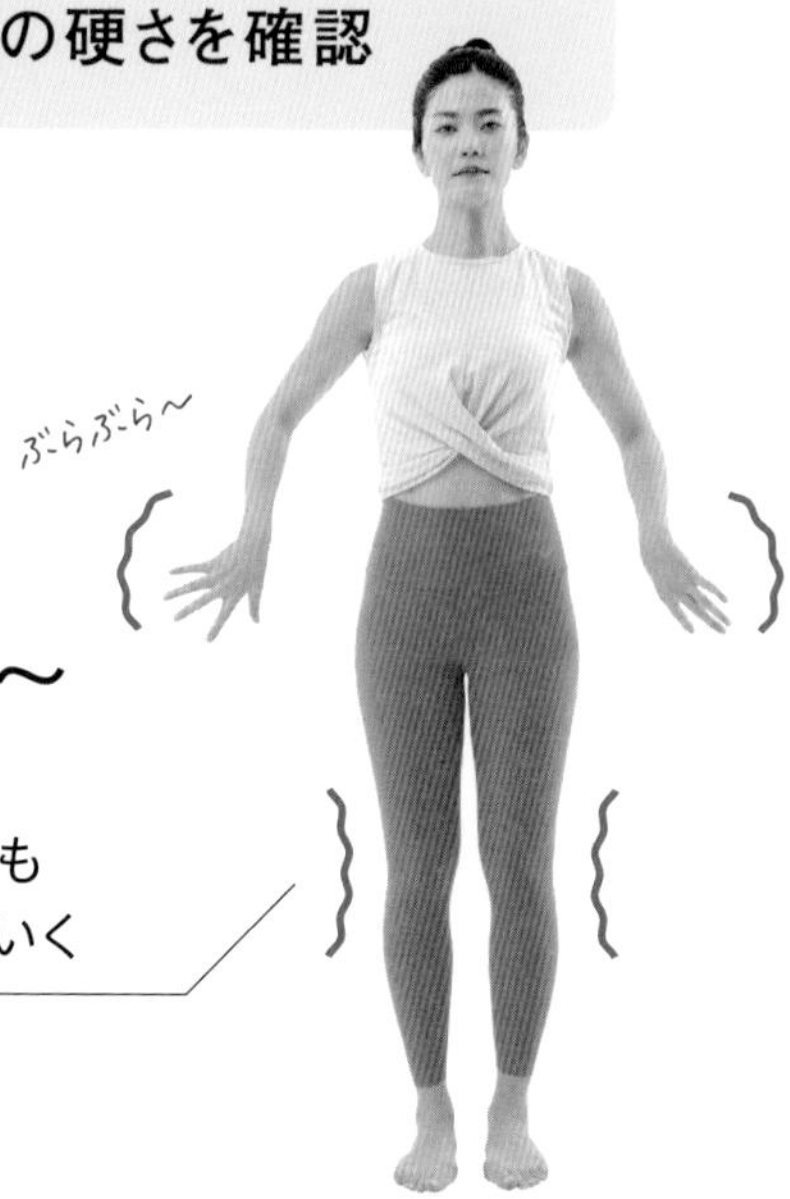

肩やひざも
ゆるめていく

2

腕を前後に振り
小指どうしを
つけようとする

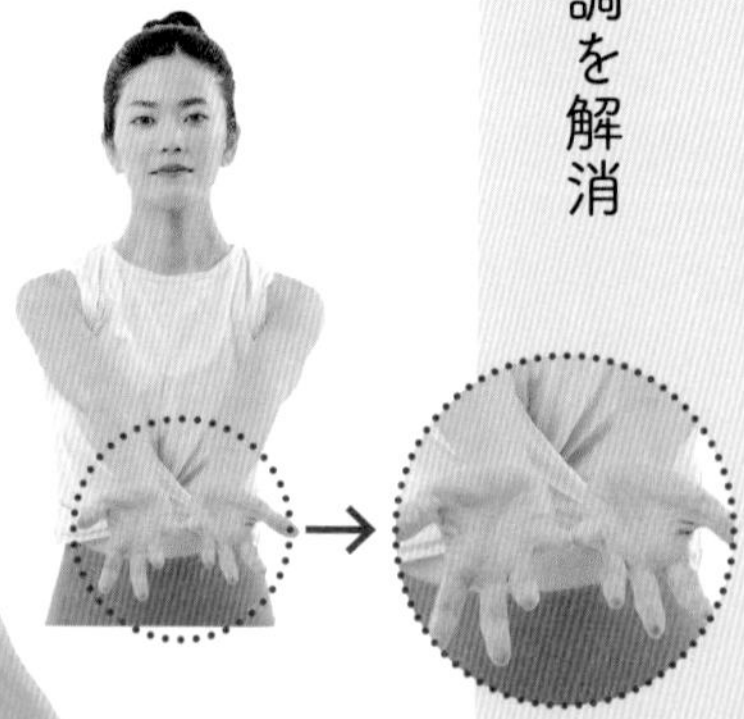

硬い人は、後ろで
小指どうしがつきにくい

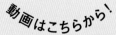

STEP 2

7 MIN

大腸経の刺激

体の前面のコリをほぐす

3 右手の小指を開いたら

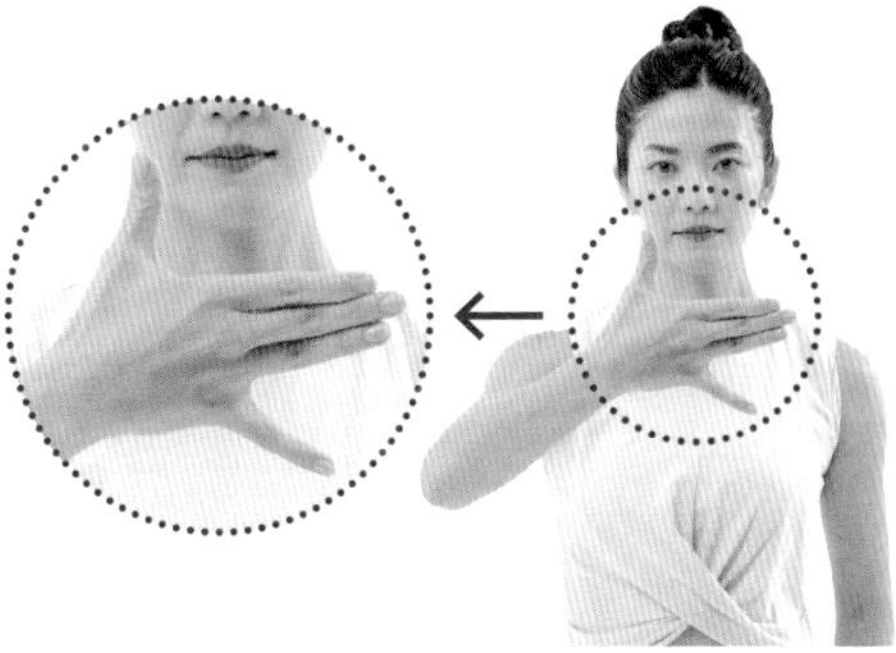

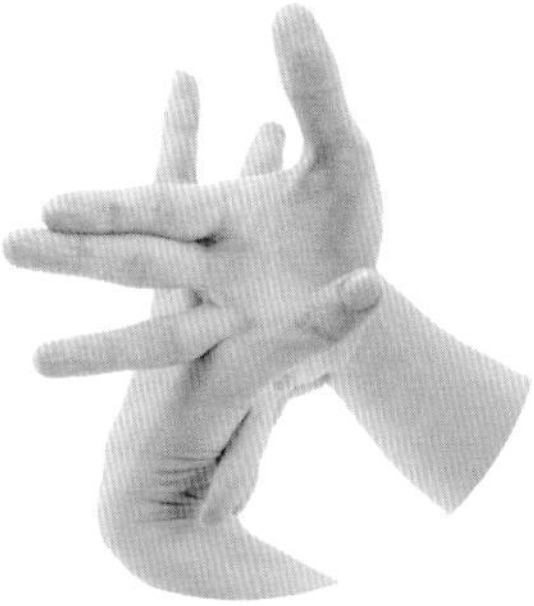

4 その間に左手の親指を入れ

5 右の人差し指の付け根を残りの指4本で指圧

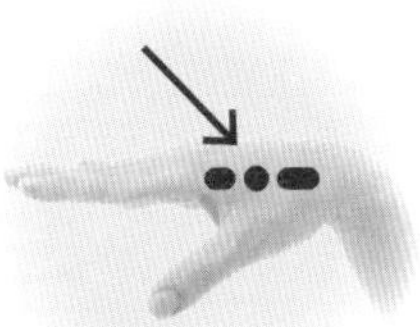

指圧するのはこのあたり

大腸経上にある「合谷《ごうこく》のツボ」(P32) 周辺

← つづく

← 前ページより

6 ひじをのばし 上下にゆすって指圧する

POINT

「合谷のツボ」
あたりを中心に、
関節に4本指を
ぐ～っと押し込む

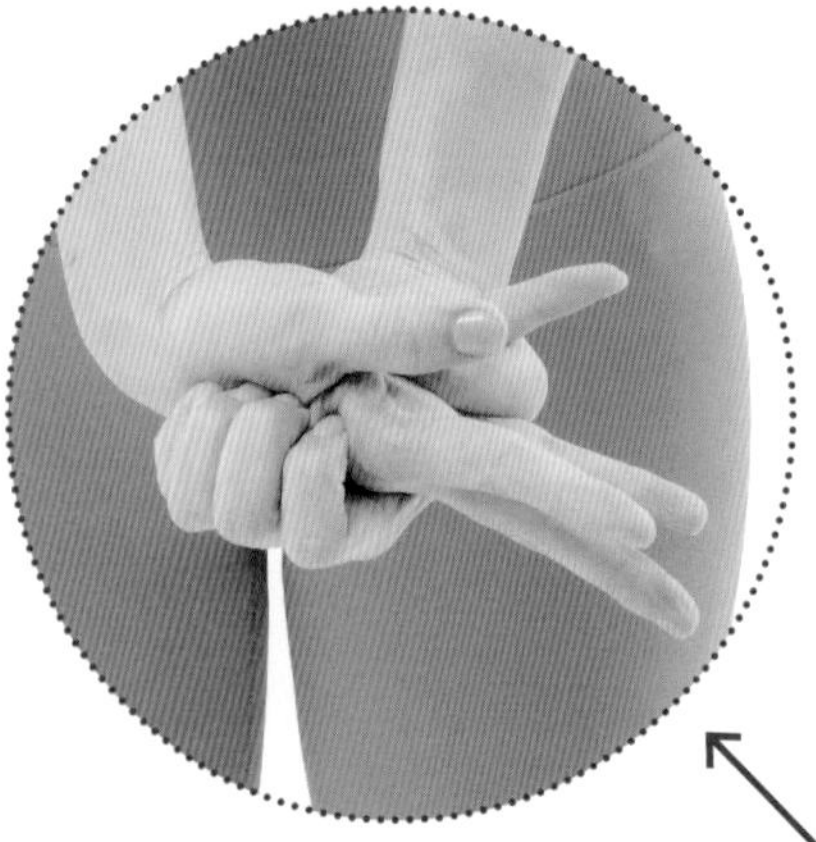

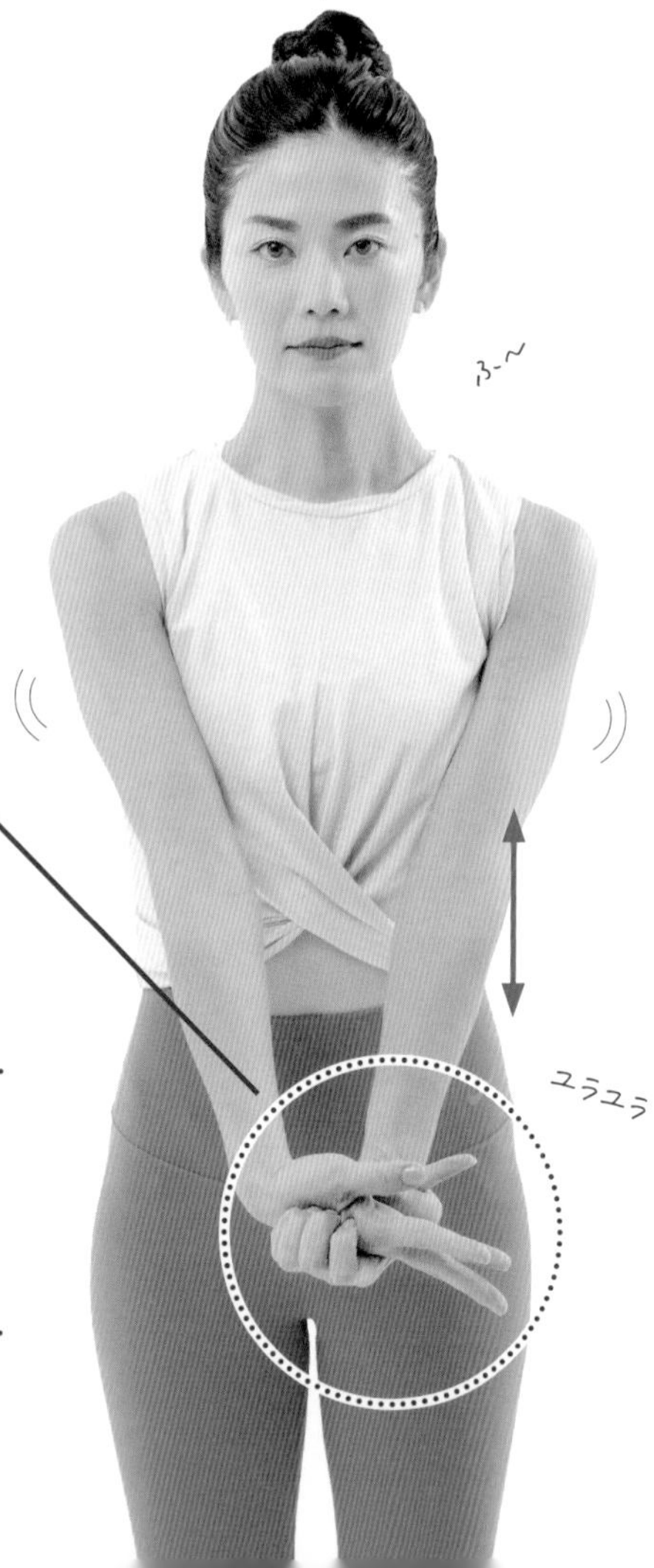

POINT

手をユラユラ
ゆするとより
ツボがほぐれやすい

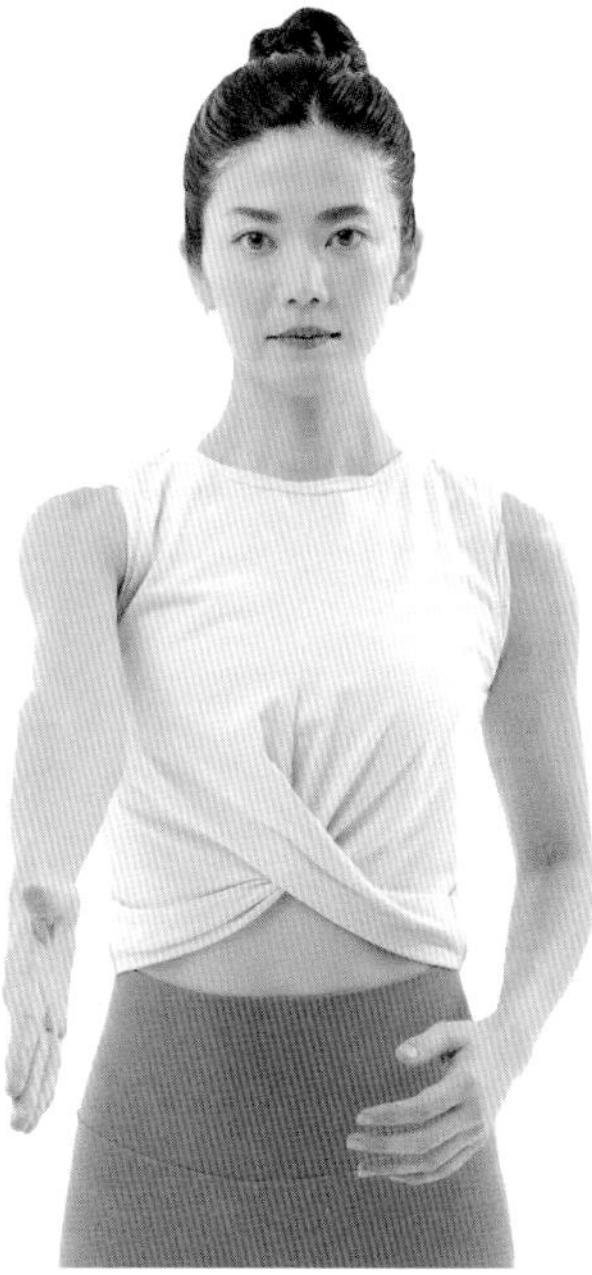

7 両手をはずして右手を前に出し

8 左手で右の人差し指の側面を押さえる

← つづく

← 前ページより

9 右手を左の腰へ ぐ〜っと寄せる

! 感じよう

右腕ののびを
感じる

右腕はまっすぐ、
じっくり左へ
引き寄せる

POINT

右手のひらを
上に向けながら、
親指を下にして、
引き寄せる

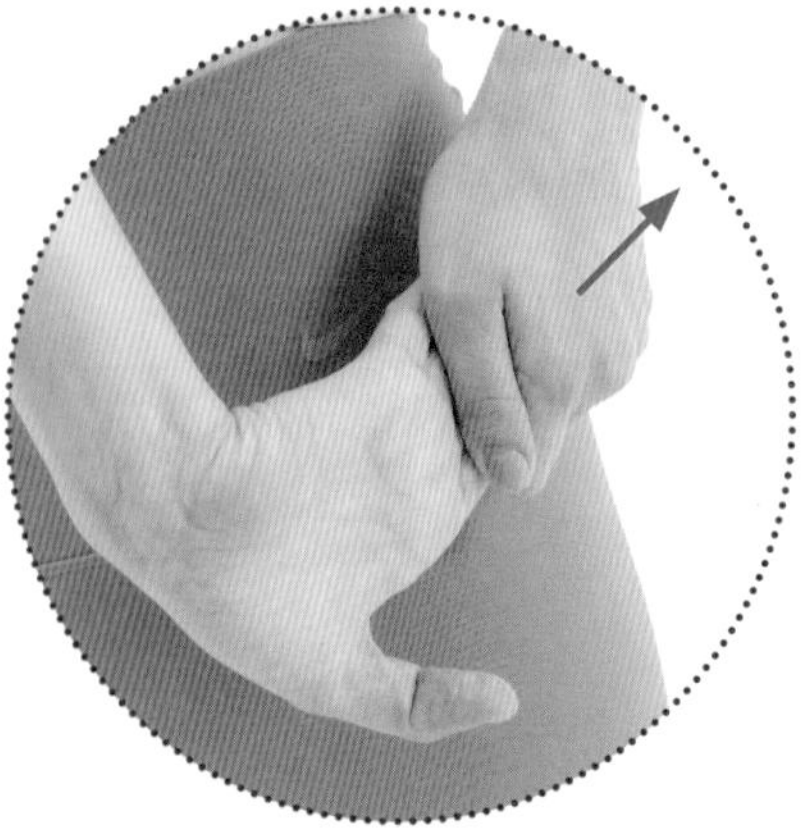

10 手を真ん中に戻し 両手をはずす

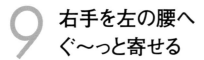

STEP 3

7 MIN

小腸経の刺激

小腸経の詰まりを解消

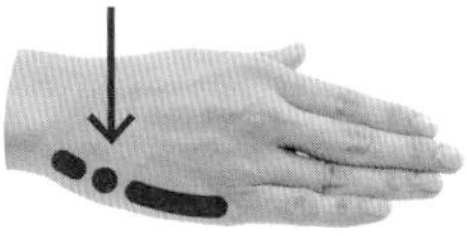

指圧するのは
このあたり

小腸経上にある「腕骨《わんこつ》のツボ」（P34）の周辺

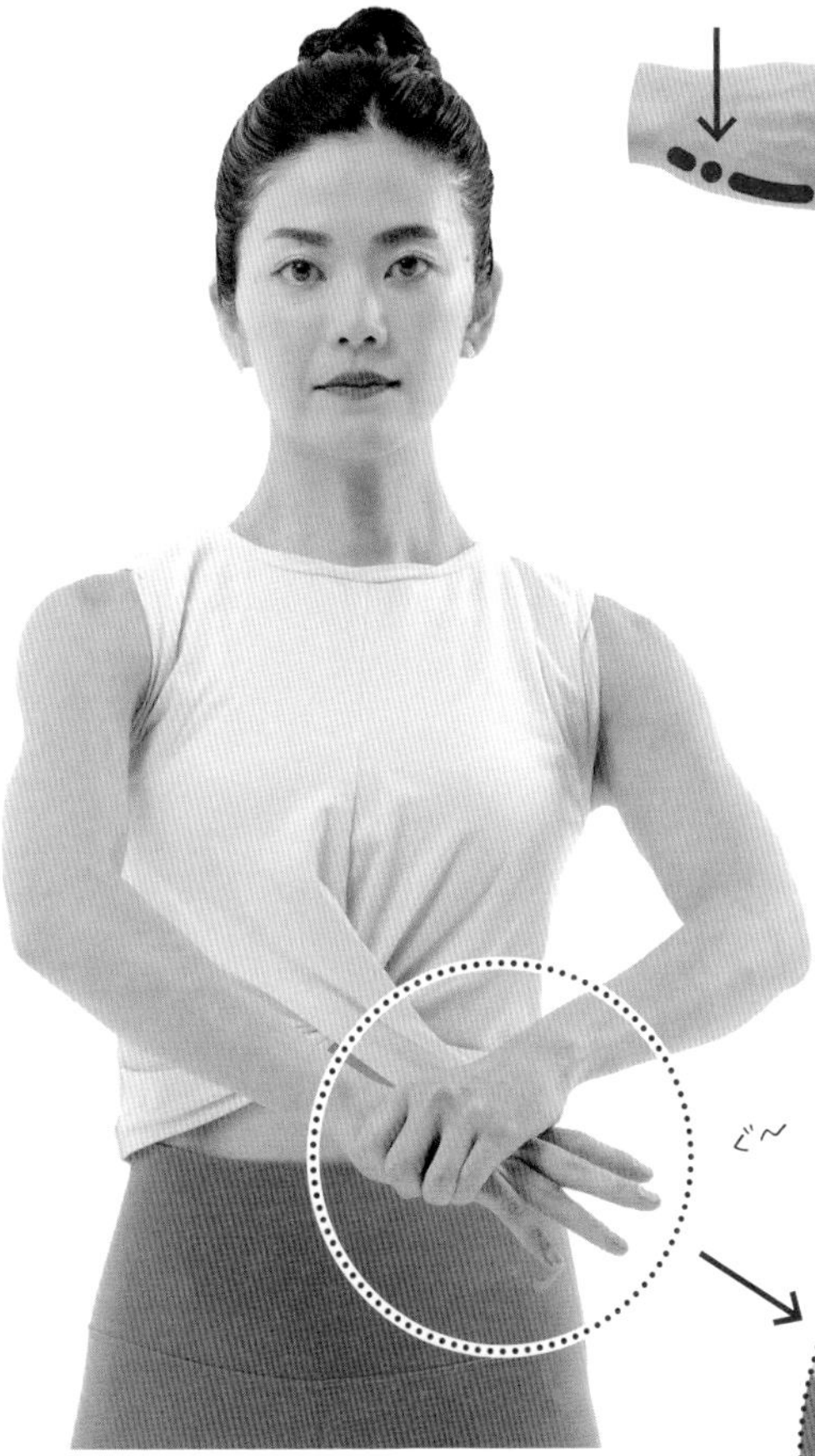

11

右手の小指の付け根から下を左手の親指以外の4本指で指圧

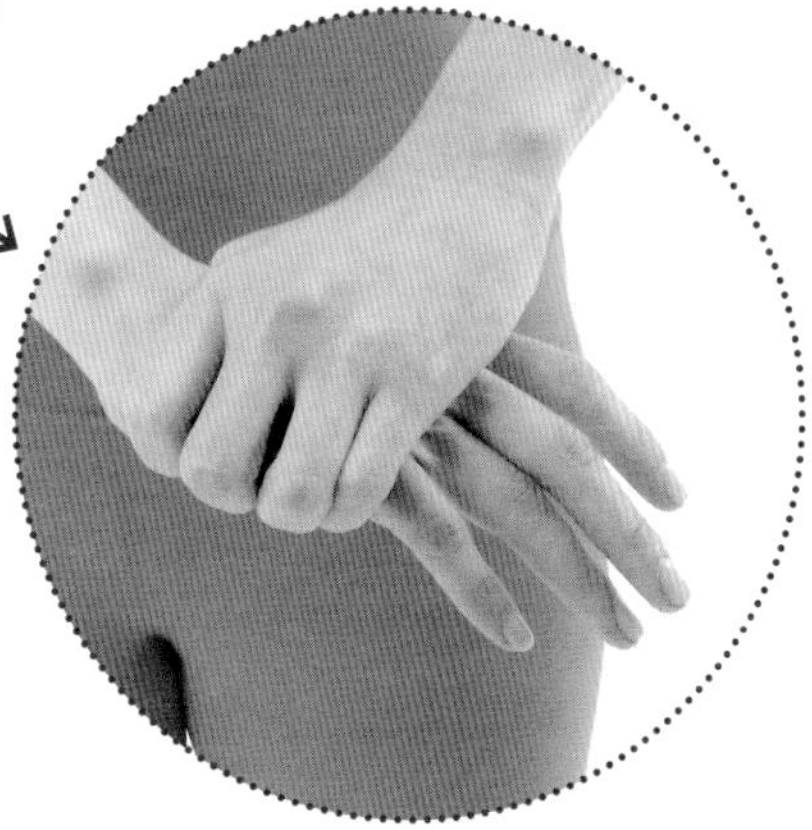

POINT

「腕骨のツボ」を含む
関節に4本指を
ぐ〜っと押し込む

← つづく

← 前ページより

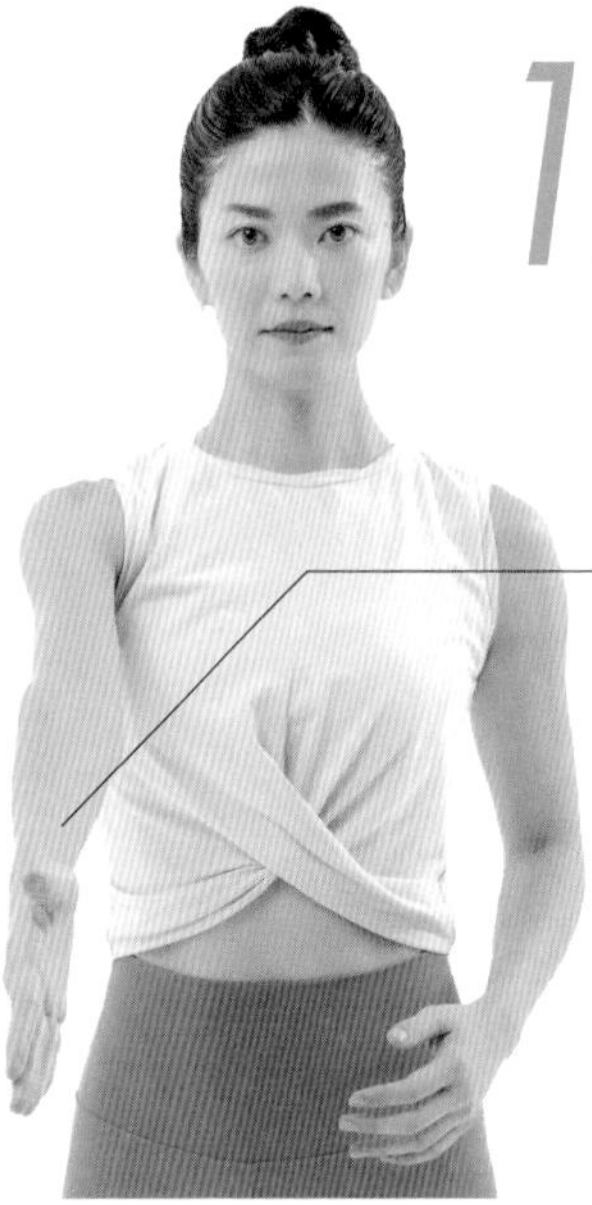

12 右腕を前にのばし

握手で差し出す
ような形に

13 左手の4本指で右手の小指側を押さえて

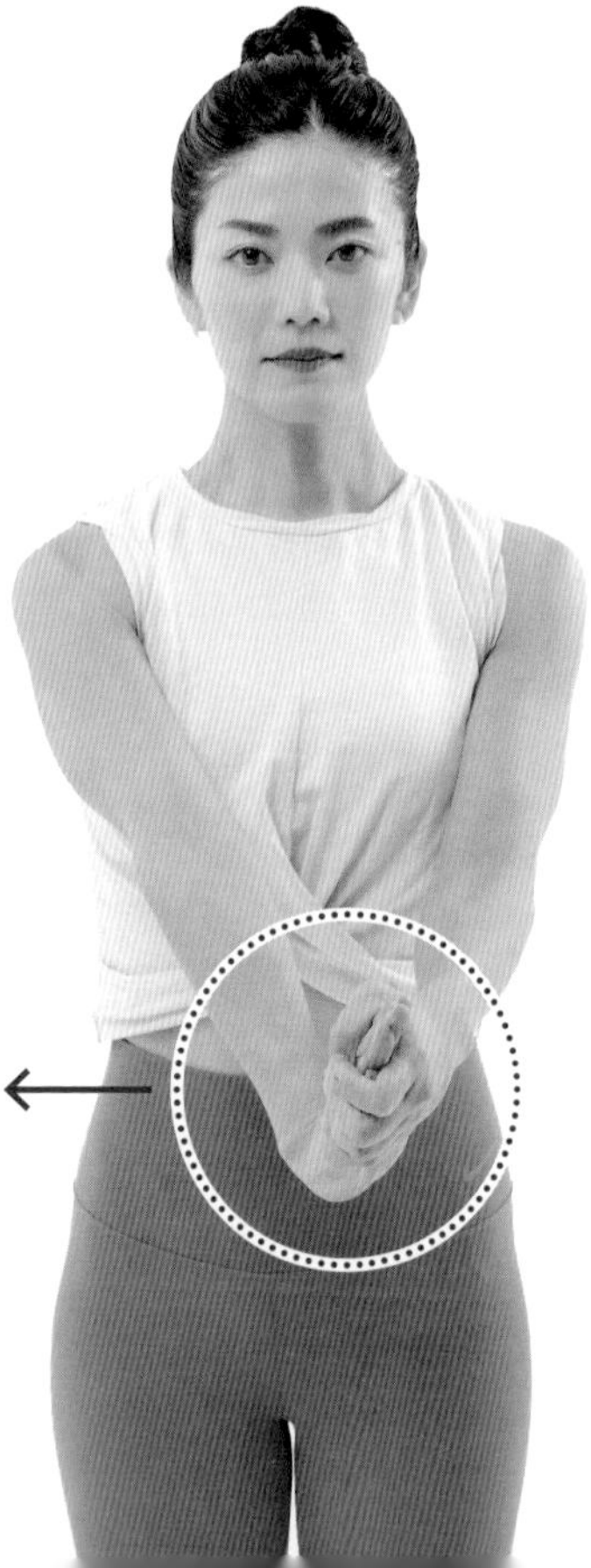

14 腕をぐ〜っとのばしたまま 両手を顔の方向へ 引き寄せる

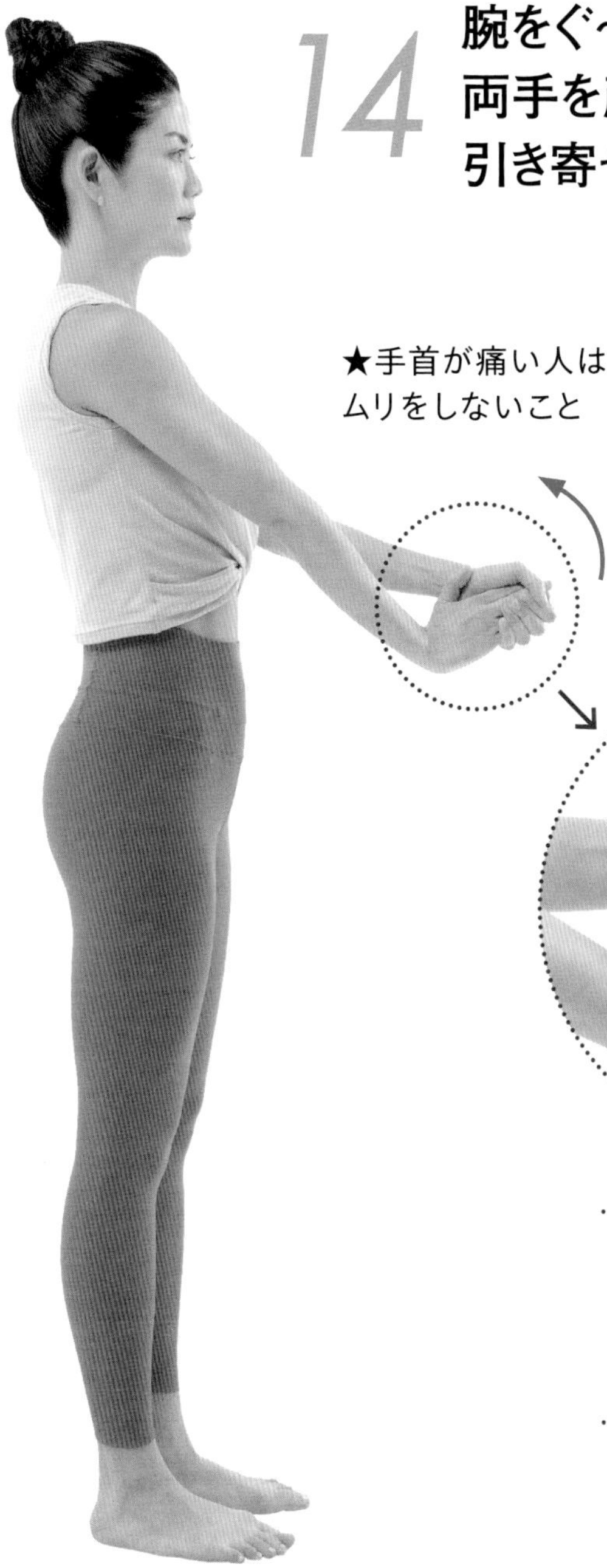

★手首が痛い人は
ムリをしないこと

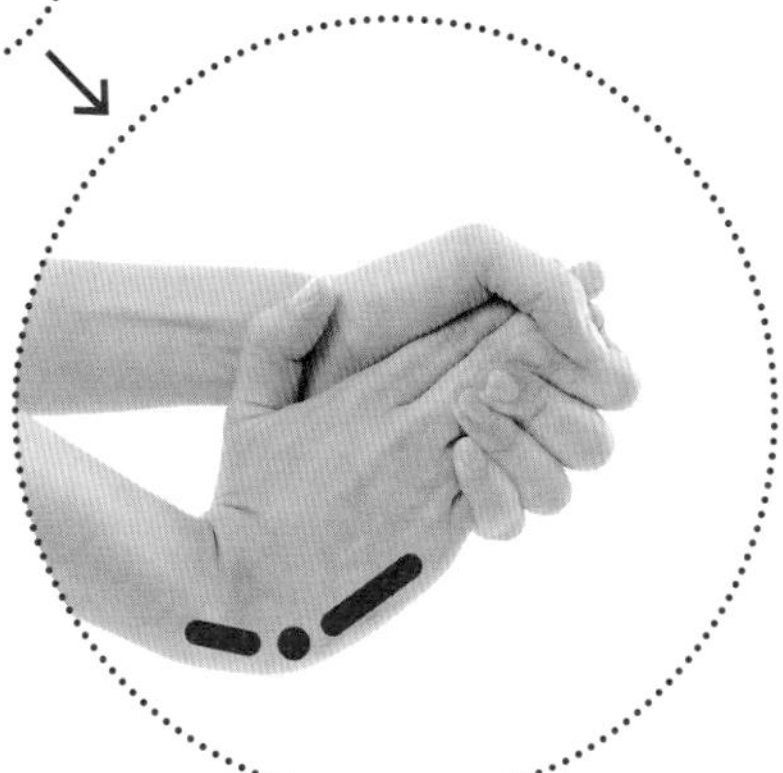

POINT

●印周辺の
小腸経のラインを
のばすように引き寄せる

STEP 4

7 MIN

手首ほぐし & 眼球運動

肩・背中のコリ・目の疲れをとる

15 右腕を前に出し

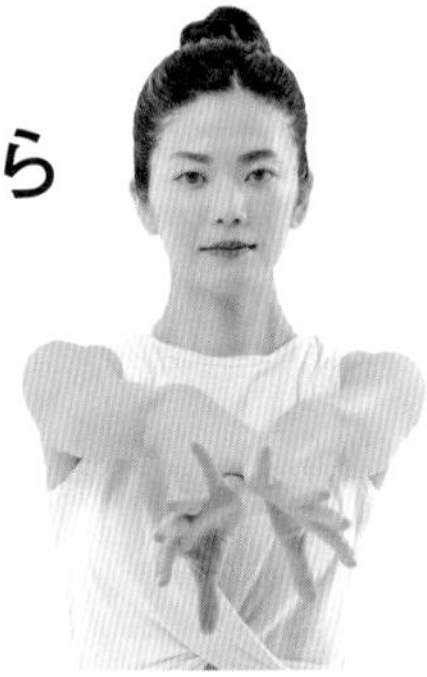

16 左手を下からもってきて

17 指をからめ

18 内側から回転し両手を胸に近づける

！ 感じよう

右腕ののびを
感じる

★腕が硬い人は、
ひじが曲がったままでも
刺激が感じられたらOK

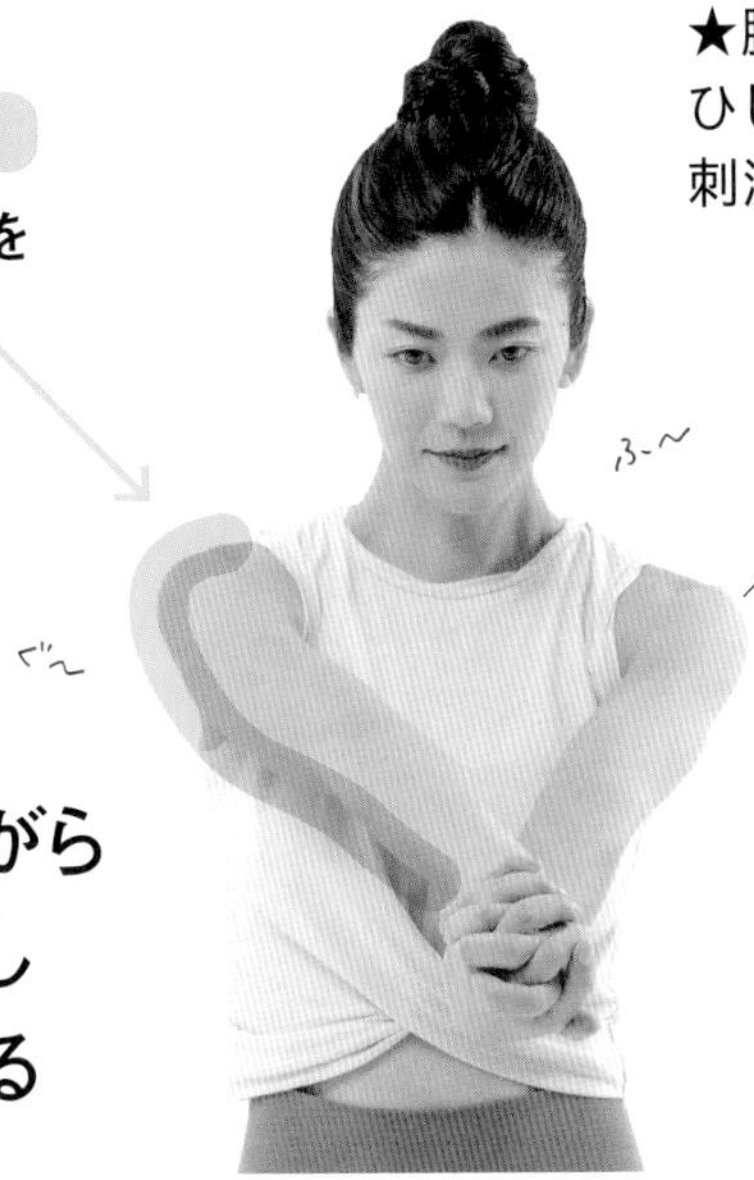

背中を丸めて
広げる

19

**息を吐きながら
ひじをのばし
手首をねじる**

MEMO

小腸経、三焦経
（P36）、大腸経
を刺激

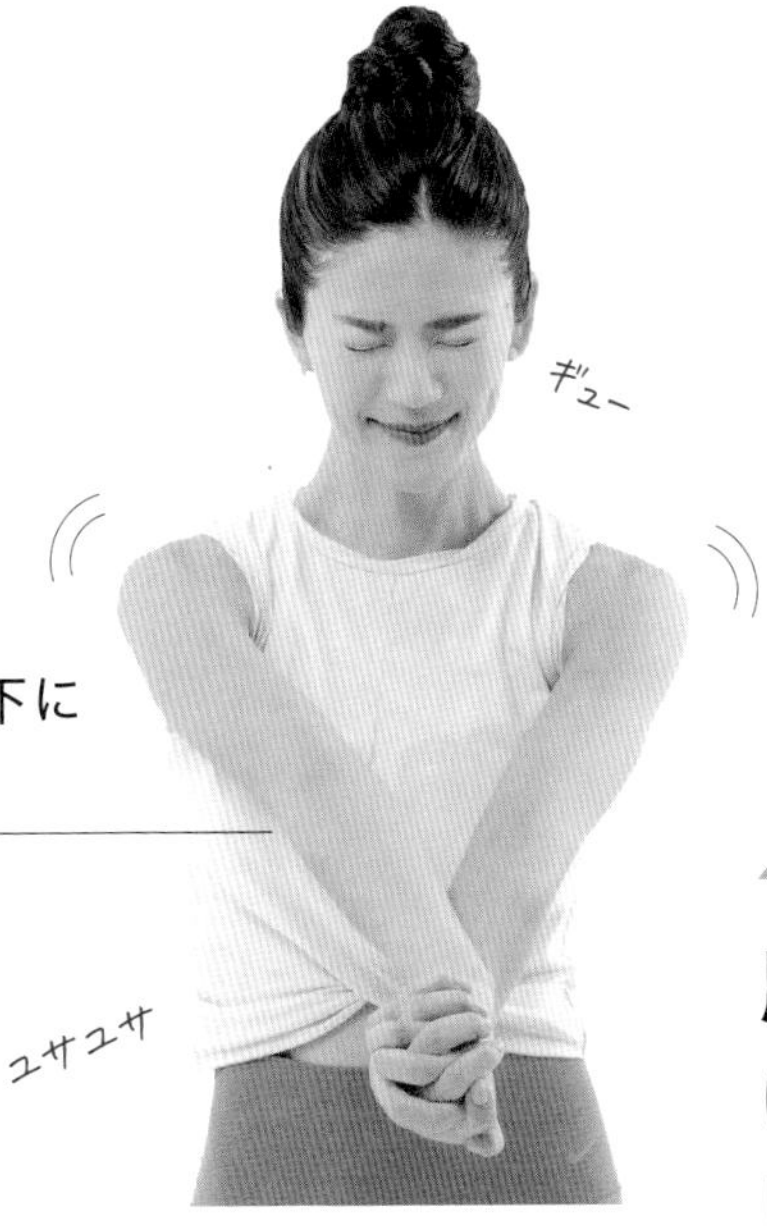

腕を上下に
ゆする

20

**腕を軽く
ゆすりながら
目をギューッと閉じる**

← つづく

← 前ページより

21

目を開き眼球を左右上下に限界まで動かす

順番は真上、右上、左上、右、左、右下、左下、真下（反対側をおこなう時は、真上→左上→右上の順で）

22

ふたたび目をギューッと閉じて

23 両ひじを胸に戻し 大きく息を吸って吐きながら 両手と両目をゆるめる

24 両手を ぶらぶらぶら〜

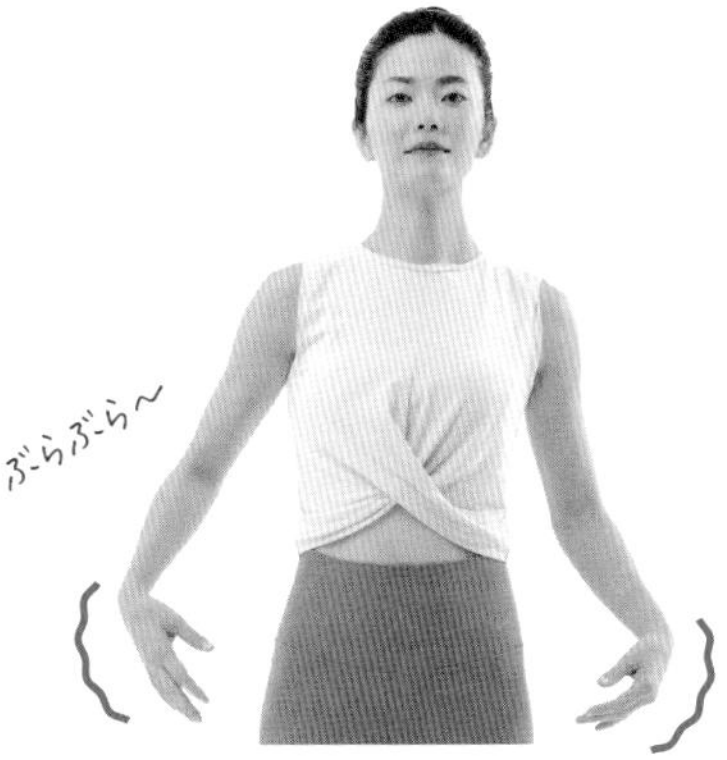

25 ふたたび腕を前後に振り 肩や胸の硬さをチェック

背中側で
小指どうしが
つきやすく
なったら、
ほぐれのサイン

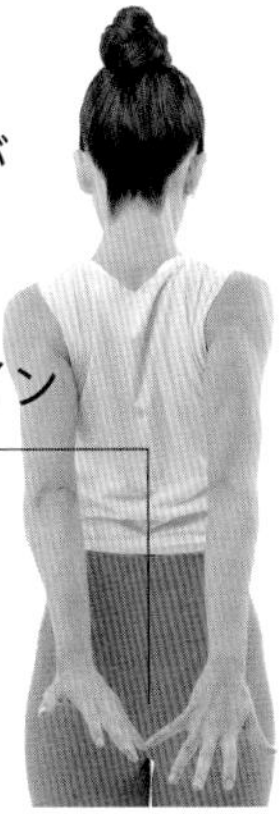

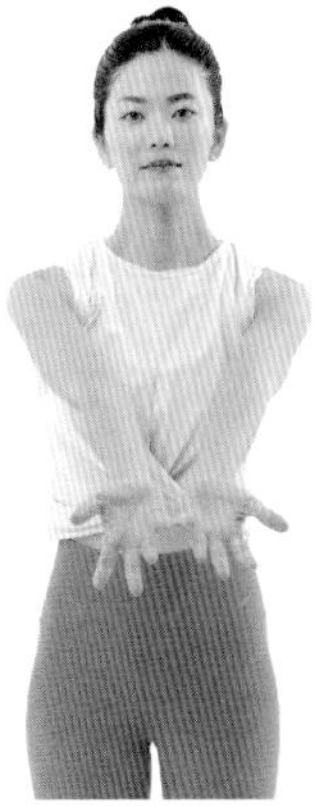

26 3に戻り反対側も 同様におこなう

※硬さを感じた所は長めにおこなう

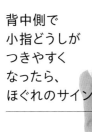

20 MINUTES

あおむけで骨盤調整 20分コース

骨盤まわりをしっかりほぐし、下半身のむくみも解消。とても眠くなるので就寝前がオススメ

▼

動画はこちらから!

STEP 1

20 MIN

腰ほぐし

下半身をゆるめる

1 目を閉じて リラックス

2 両ひざを立て 両手を横へ

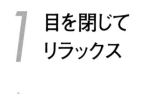

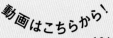

！ 感じよう

ふくらはぎの
ほぐれを感じる

3 左ふくらはぎを右ひざに乗せ上下にマッサージ

4 ふくらはぎを深く引っ掛け上下にゆする

左脚を
ぶらぶらゆすり
血流を促す

両脚を前後左右に

5 その状態から両ひざを胸に寄せ右脚のすねの前で手を組みゆらす

！ 感じよう

腰まわりの
ほぐれを感じる

6 反対側も同様におこなう

STEP 2

20 MIN

肩と首ほぐし

肩・首コリ、腰痛解消

足は開いてもOK

7 タオルを足首の甲の前に引っ掛ける

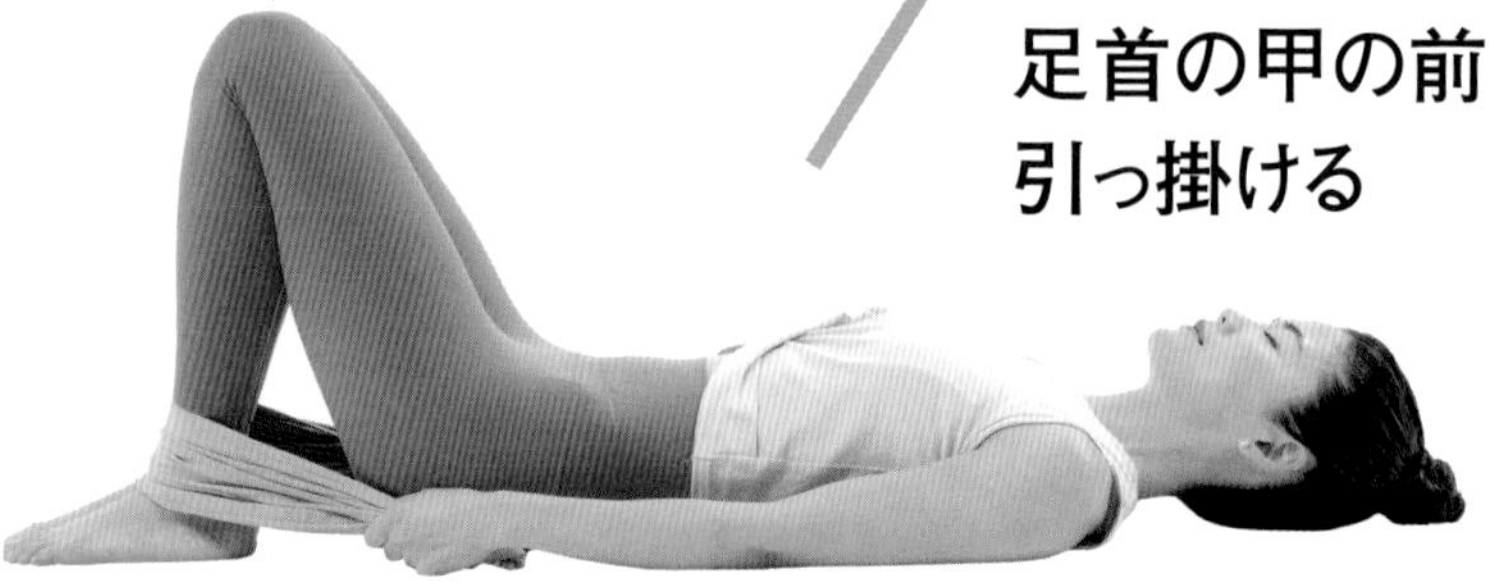

8 腰をゆっくりぐ〜っと持ち上げる

POINT

肩を下げて首をのばしていく

タオルを引き寄せる

! 感じよう

肩・首ののびを感じる

STEP 3

20 MIN 首のばし&風池《ふうち》のツボ押し

目の疲れ、肩・首コリ、頭痛解消

9

ゆっくり
腰をおろし
頭の後ろで
風池《ふうち》のツボを
押さえる

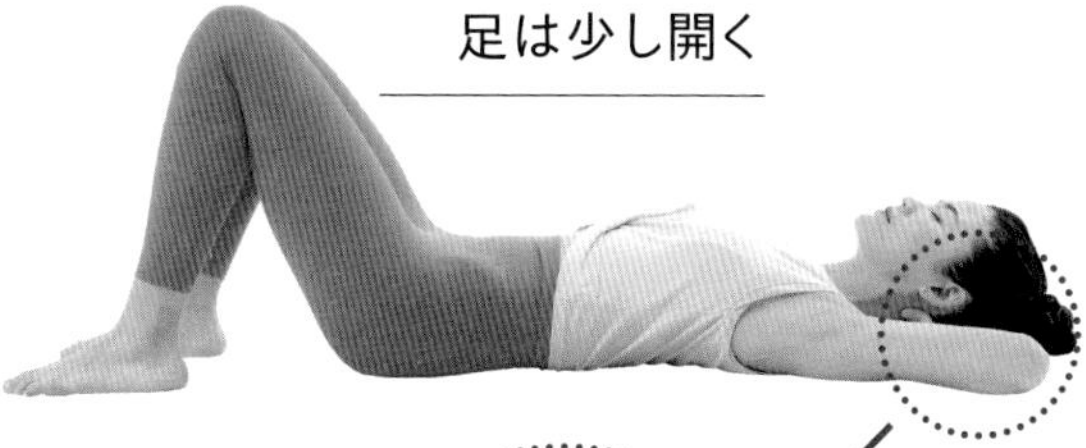
足は少し開く

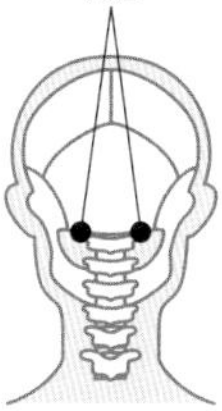
風池

指をからめて
親指の腹で
指圧

10

腰をゆっくり持ち上げ、
ツボに体重をかける

ぐ～
肩と首は
リラックス

ツボ（風池）にこだわらず、
こっている所に
指をあててもよい

11

ゆっくり腰を
おろす

STEP 4

20 MIN

仙腸関節・股関節の調整

骨盤のゆがみをしっかり整える

12

左足の裏に タオルを引っ掛け 左右にこする

POINT

つちふまずを
刺激するイメージ

POINT

左脚は90度を
超えないように

13

左手で タオルをつかむ

★硬い人は左ひざを
曲げても OK

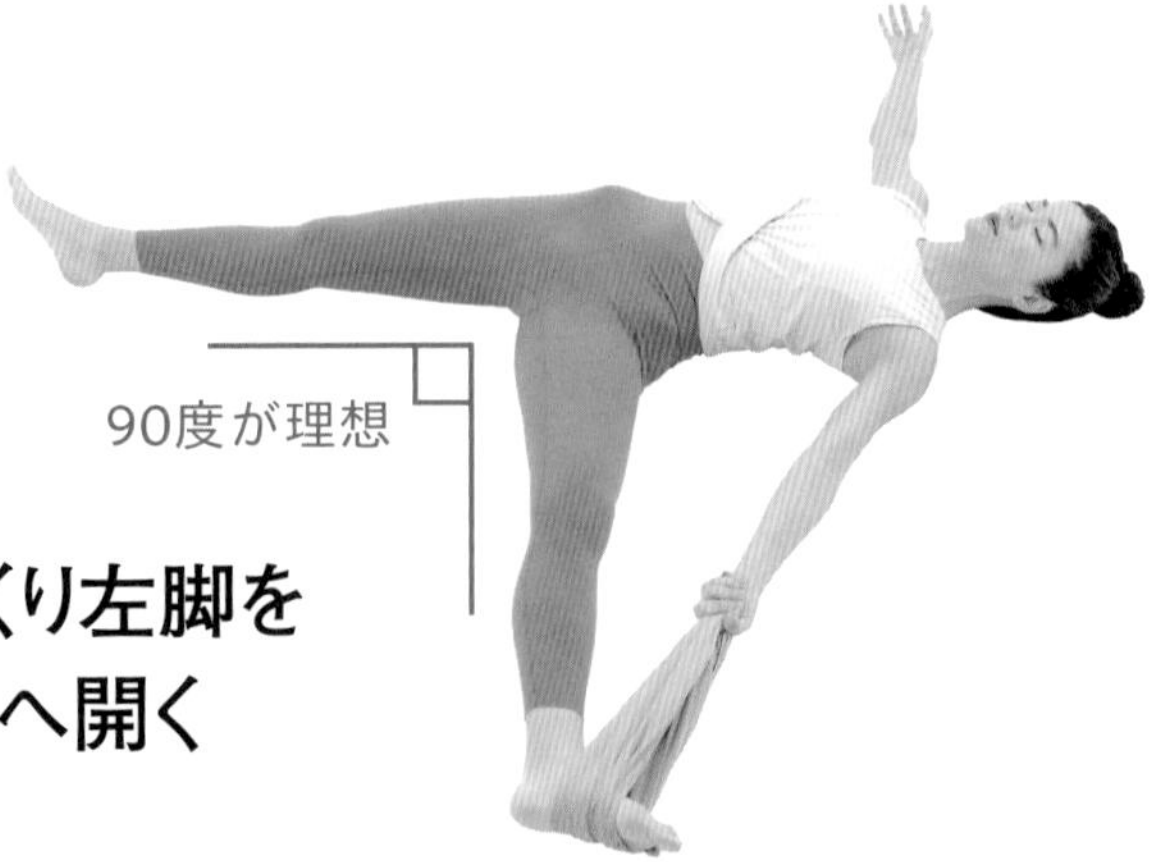

14

ゆっくり左脚を 外側へ開く

MEMO

この動きは股関節と仙腸関節のズレを調整

右のお尻が浮かないように骨盤を押さえる

15 右ひざを小刻みにゆする

POINT

左のお尻の筋肉にぎゅっと力を入れる

16 右ひざを小刻みにゆすりながら右手をバンザイ

右脇をのばす

POINT

引き続き左のお尻の筋肉にぎゅっと力を入れる

← つづく

← 前ページより

! 感じよう

左中臀筋の
のびを感じる

17 ゆっくり体を左側に倒し両手でタオルをつかむ

足裏でタオルを蹴るように、
ぐ～っと腰をのばす

POINT

おへそが床につくイメージで
おこなうと腰がラクになる

18 右手をはずし背中を床に戻したら右足首をつかみ

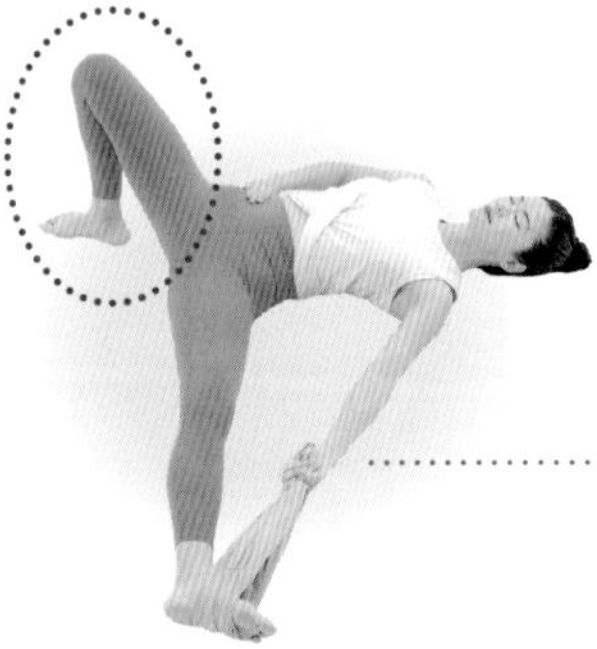

足首をつかめない人は…

右ひざを立てる

19

その足を後ろへ引き 右ひざを 床に押しつける

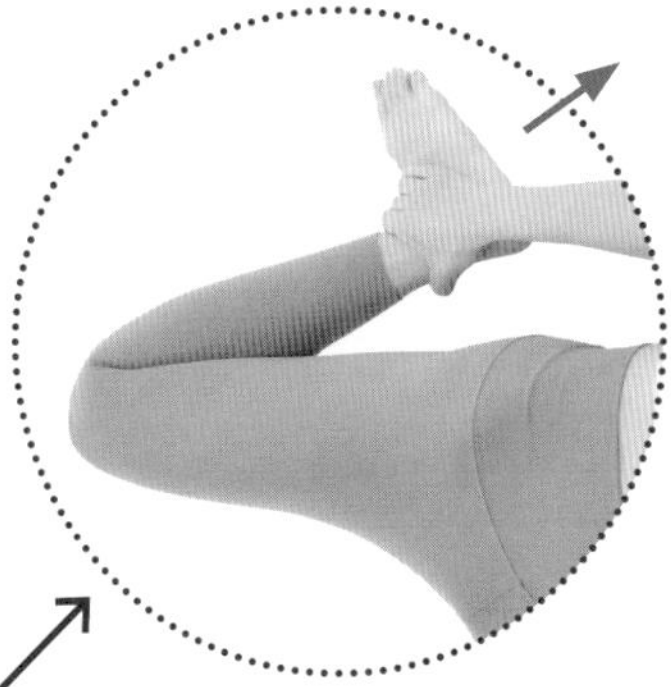

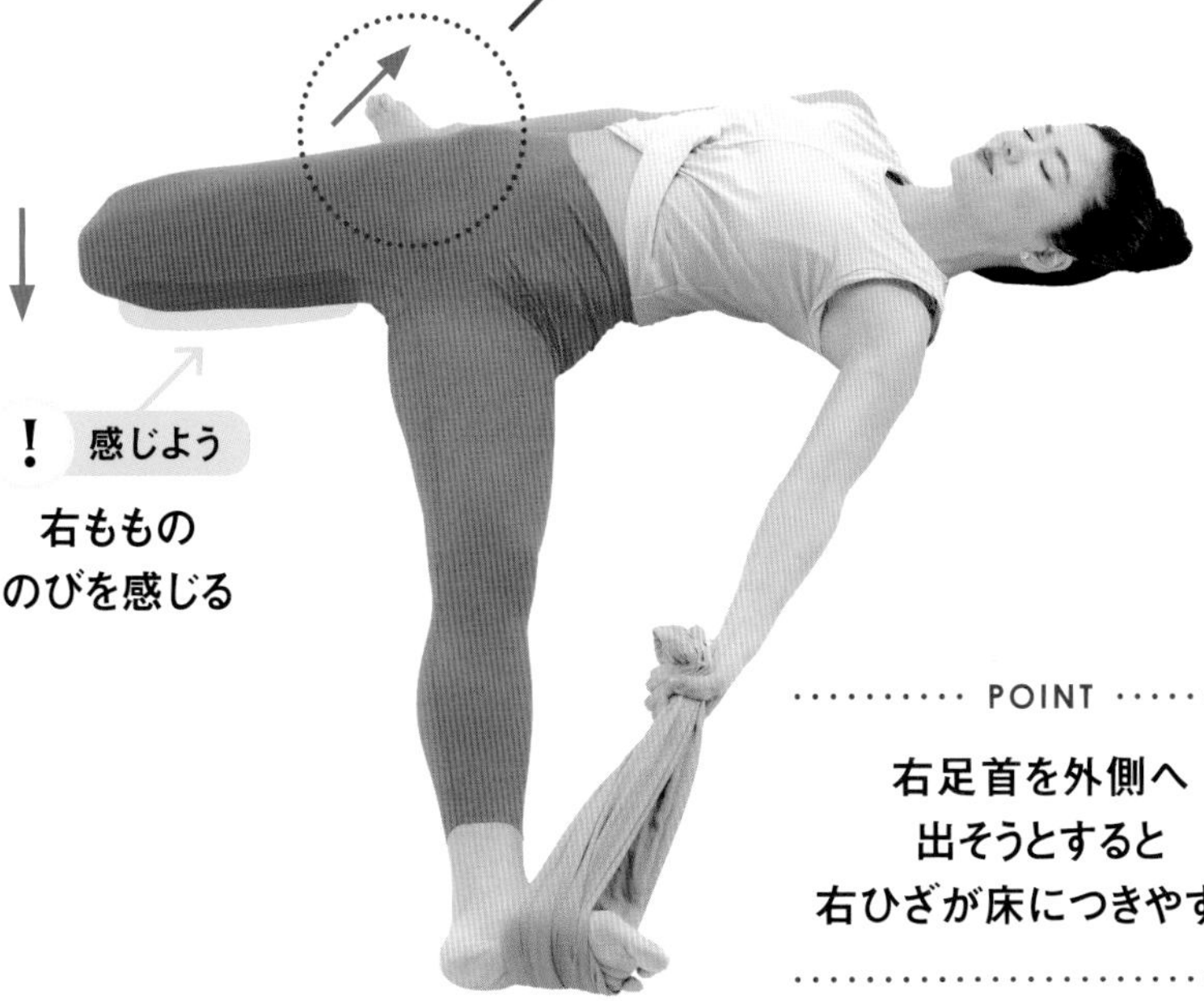

! 感じよう

右ももの のびを感じる

POINT

右足首を外側へ 出そうとすると 右ひざが床につきやすい

足首をつかめない人は…

立てた右ひざを内側へ倒そう とすると右ももがのびて効く

← つづく

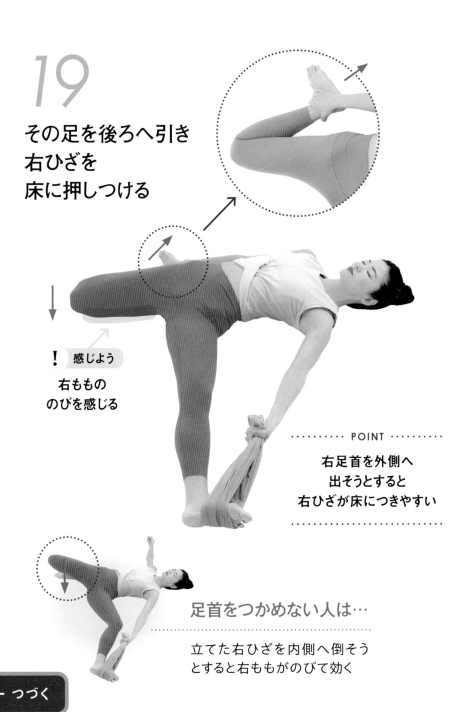

← 前ページより

20

右脚をのばし

21 ふたたび
左足裏をこする

22

右手でタオルを
持ちかえて
右ひざを立てたら

23

左手で右の足首をつかみ

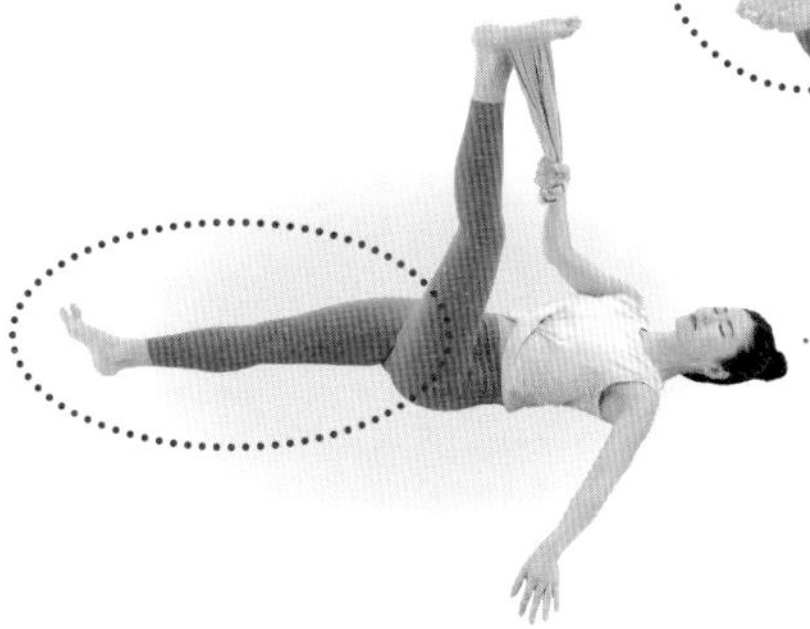

右足首をつかめない人は…

右脚をのばす
※次の24の動きも同様

24

右ひざをゆっくり床におろしたら右足首を引き寄せ

← つづく

← 前ページより

25

左脚をゆっくり右側に倒す

! 感じよう

右太もものびを感じる

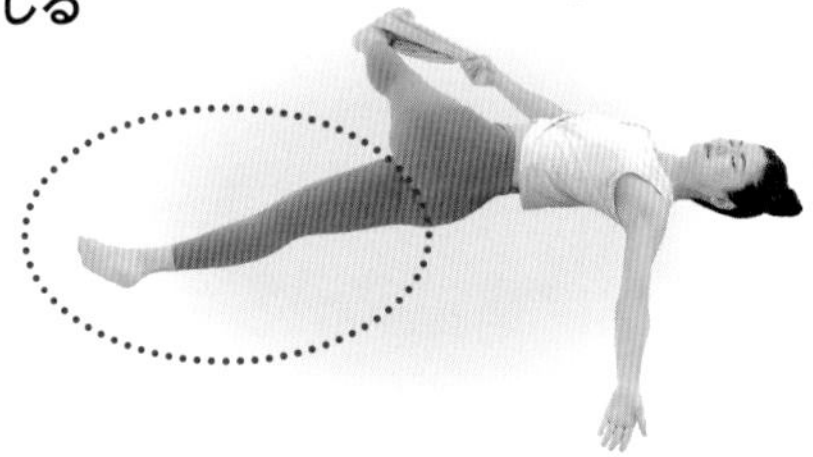

硬い人は…

右脚をのばしたまま、ゆっくり左側に倒す

26

左脚を天井に戻し足裏をこする

27

12に戻り反対側も同様におこなう

※硬い側は長めにおこなう

28

ふたたび足首に
タオルを引っ掛け
腰を持ち上げる

足は開いてもOK

！ 感じよう

最初より腰が上がり
やすくなっているはず

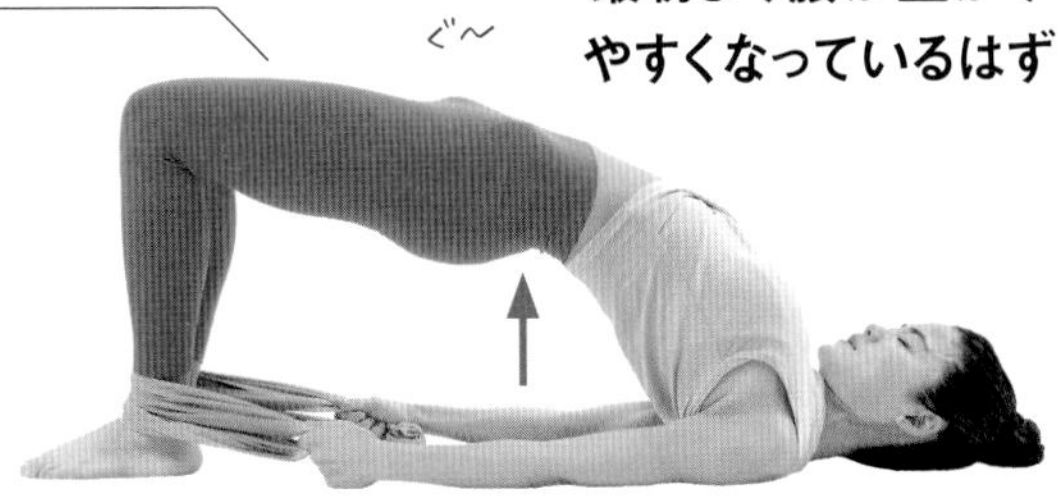

POINT

肩を下げて、首をのばす

29

腰をおろし頭の後ろで
手をからめ親指で風池の
ツボを押さえる

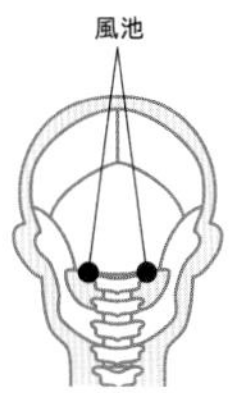

足は少し開く

30

腰をゆっくり持ち上げ
ツボ周辺の
コリを指圧

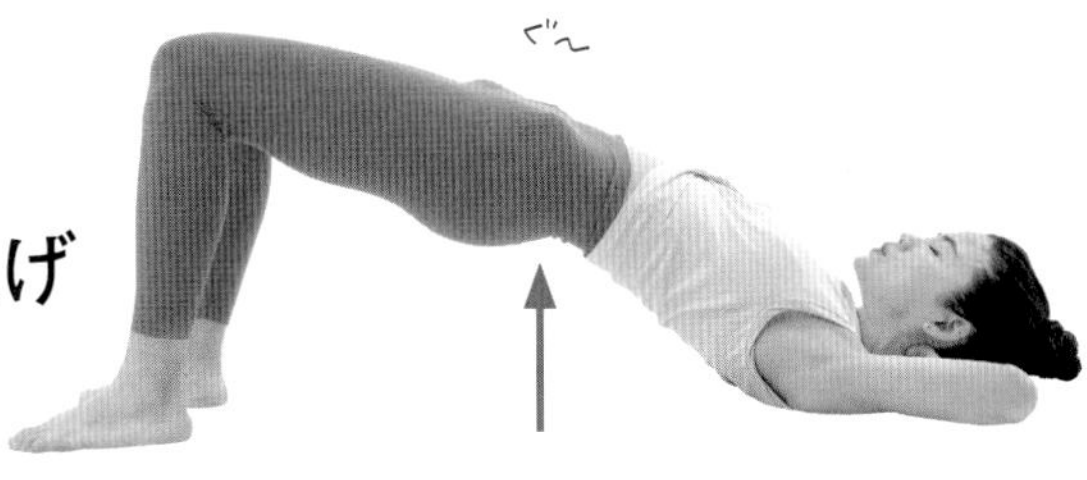

31

少し休憩

STEP 5

20 MIN

股関節ほぐし

腰痛・坐骨神経痛改善

POINT

**左ももを奥へ
ぐ〜っと押し続ける**

外くるぶしは
ももの外へ出す

! 感じよう

**股関節の
のびを感じる**

右手は横

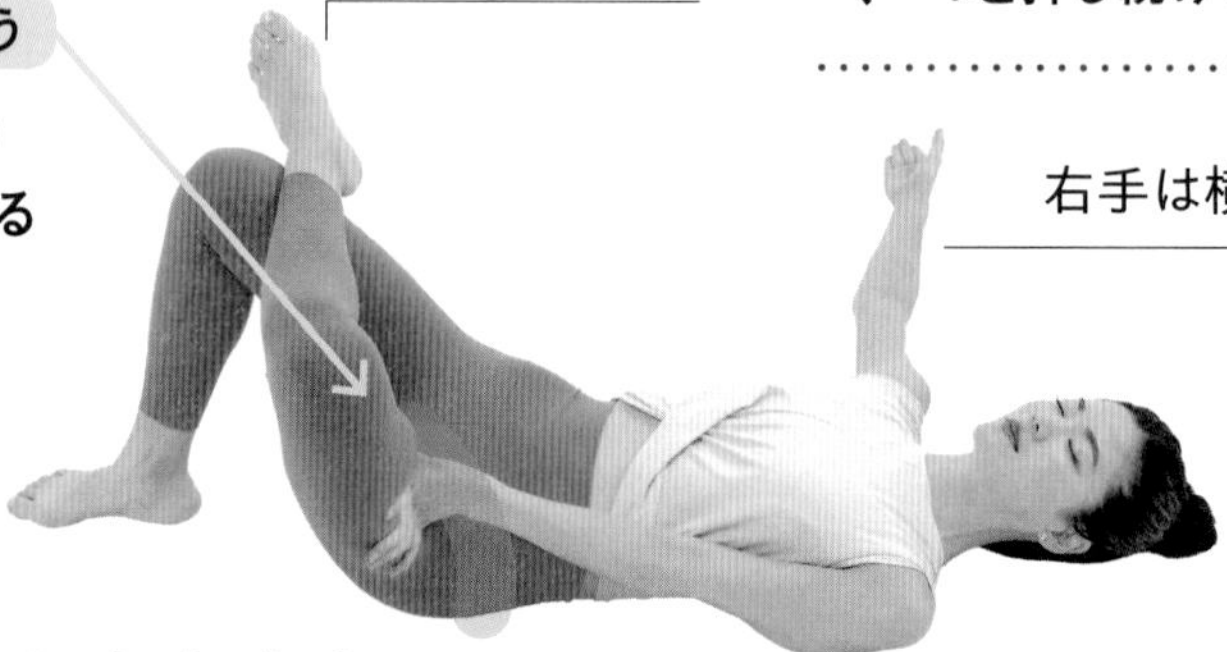

32

**左の外くるぶしを右ももへ
左手で左ももの付け根を
押さえ、ひざを開く**

33

**右ひざを引き寄せ
ももの後ろで
手を組み
胸に近づける**

すねの前で
手を組んでもOK

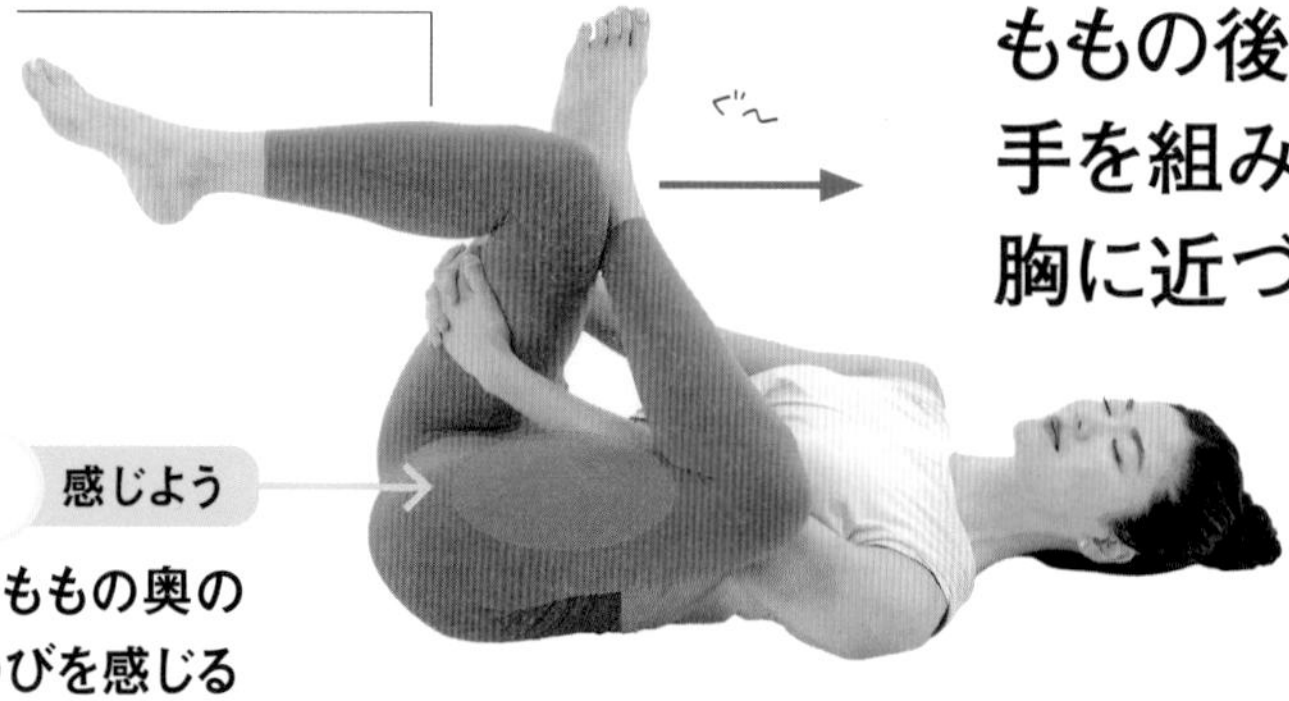

! 感じよう

**左ももの奥の
のびを感じる**

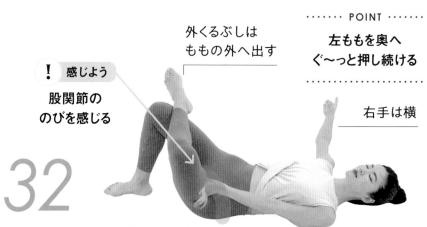

34 右脚をのばし 両手で左足をつかみ 顔にぐ〜っと近づける

右脚はなるべく
まっすぐ

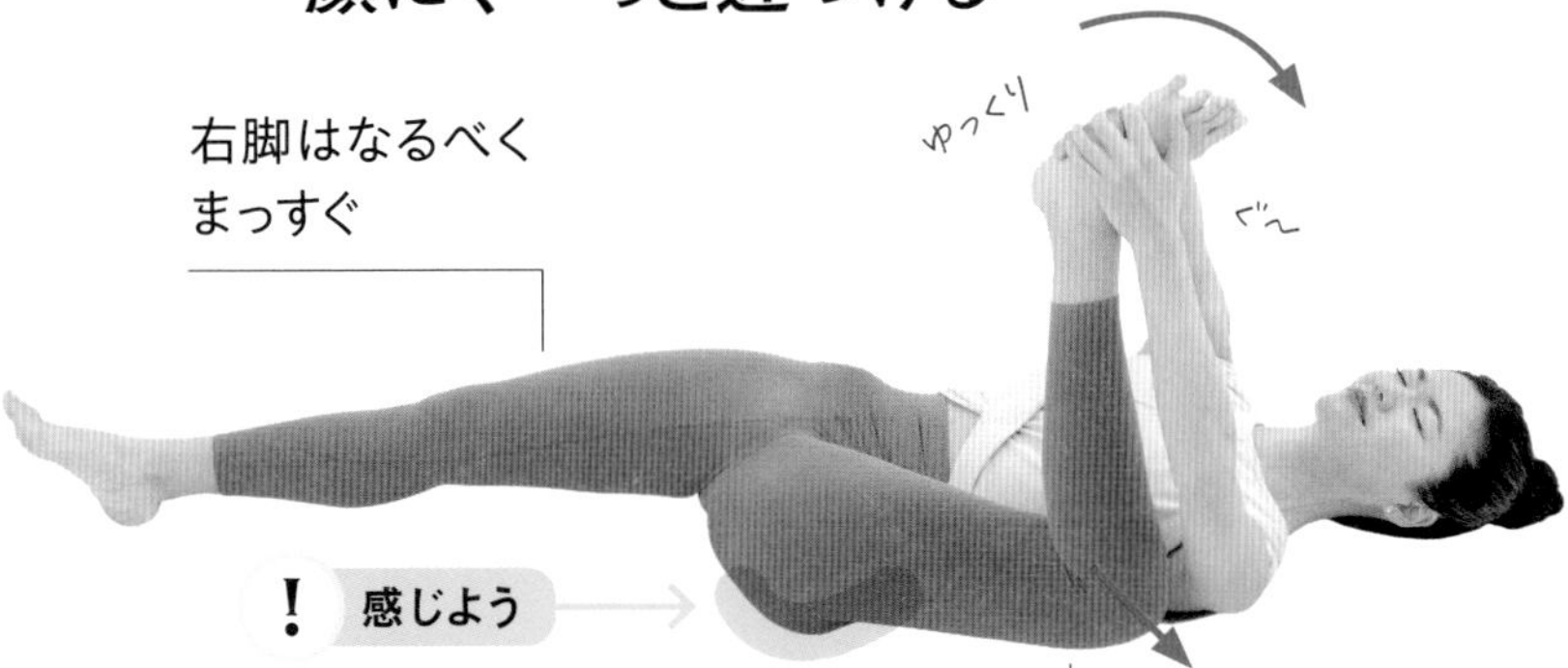

！ 感じよう

**左腰の
のびを感じる**

左のひざは
外へ向ける

硬い人は…

足裏にタオルを引っ掛けて
顔に近づける

★首が痛い人は
ムリをしないこと

35 少し頭をおこして 刺激を深める

！ 感じよう

**左腰と左脚外側の
のびを感じる**

← つづく

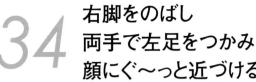

← 前ページより

36

左手で
左のかかとをつかみ
左ひざをおろす

右手は真横

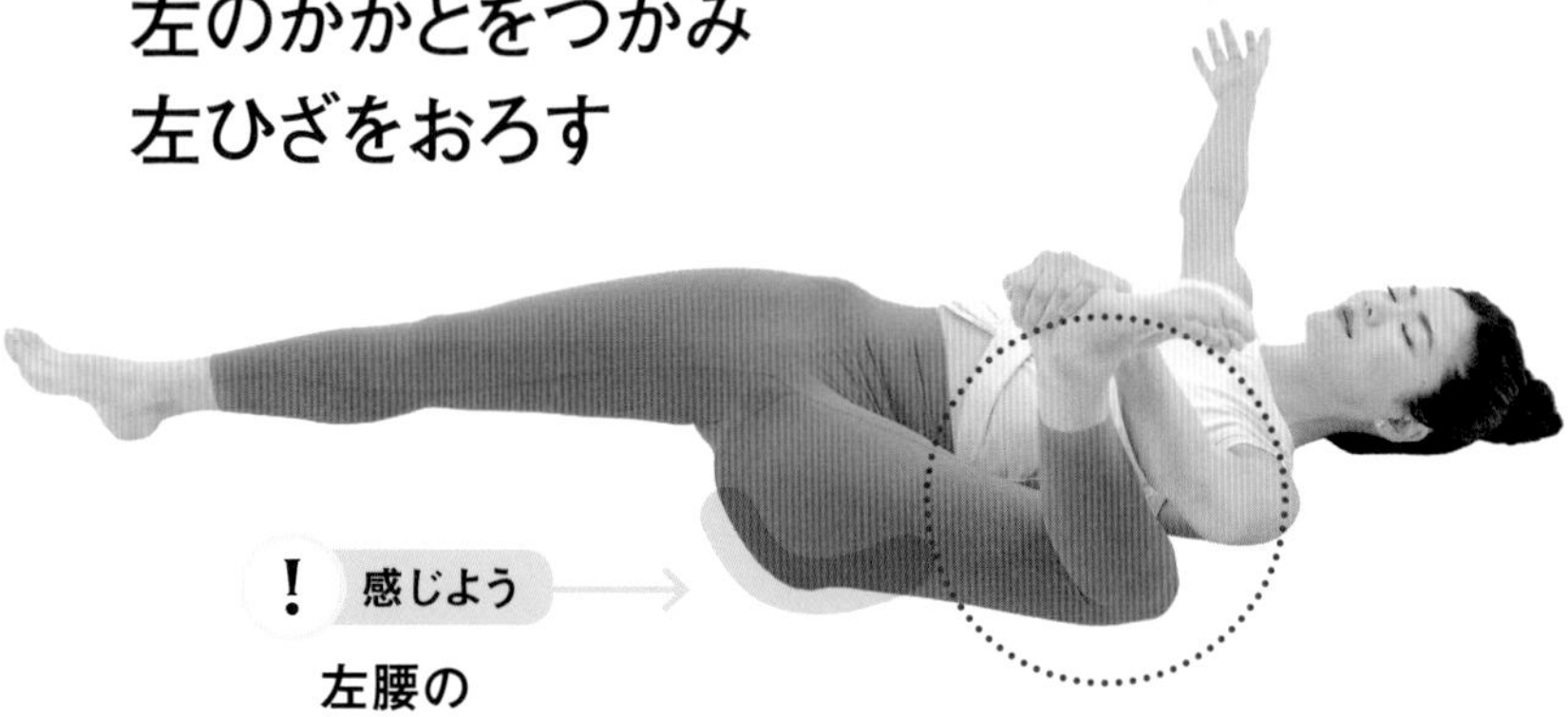

! 感じよう

左腰の
のびを感じる

POINT

左脚のすねが
床に対して
直角になるように

硬い人は…

タオルを足裏に引っ掛け、ムリのない範囲でひざを床に近づけようとすると刺激になる

もっと刺激がほしい人は…

両足同時におこなう

37 左足の側面を右もものけ根におろしゆっくりと左ひざを開く

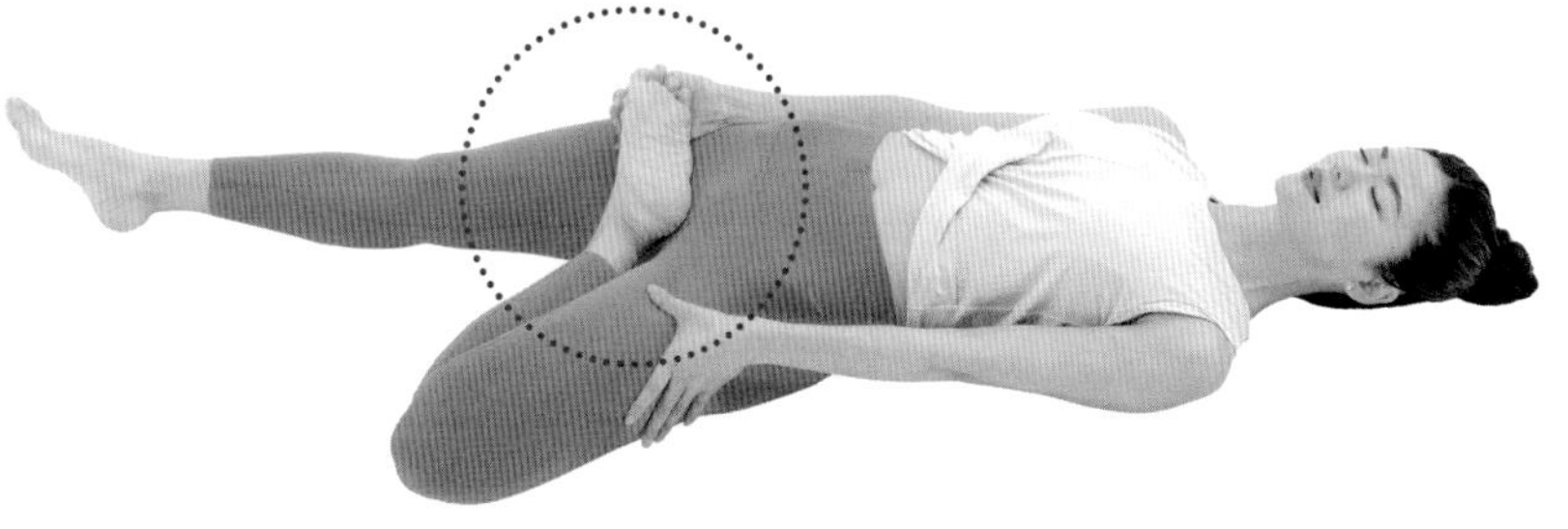

38 左ももの付け根をぐ～っと押す

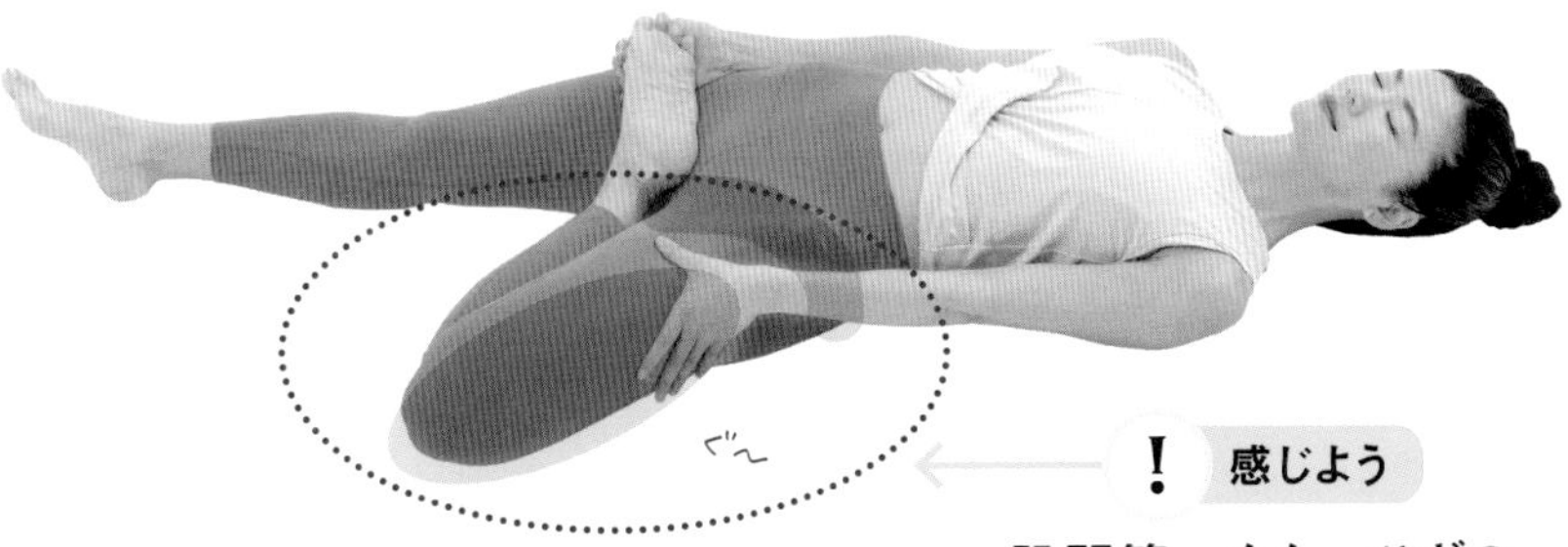

! 感じよう

股関節、もも、ひざのほぐれを感じる

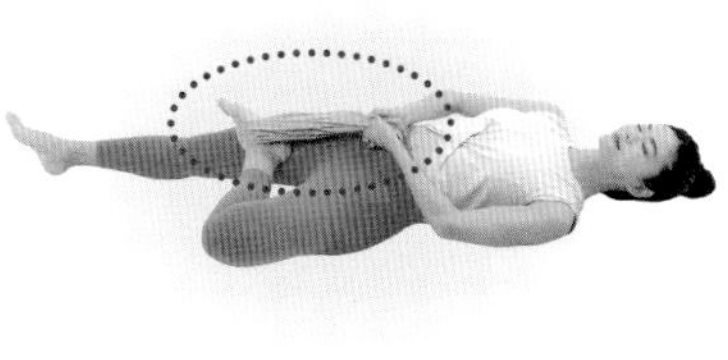

硬い人は…

左足にタオルを引っ掛け
引っ張ると刺激になる

STEP 6

20 MIN

腰椎ねじり

最後の仕上げ。腰のねじれの左右差をなくす

39 両手をはずして左足を右ももに乗せて

40 右手で左ひざの外側を押さえ

41 左ひざをゆっくり右へ倒す

ぐ〜
ふ〜
！ 感じよう
背中や腰の
のびを感じる

42 ゆっくり戻して両ひざをかかえ腰を丸めて前後左右にゆする

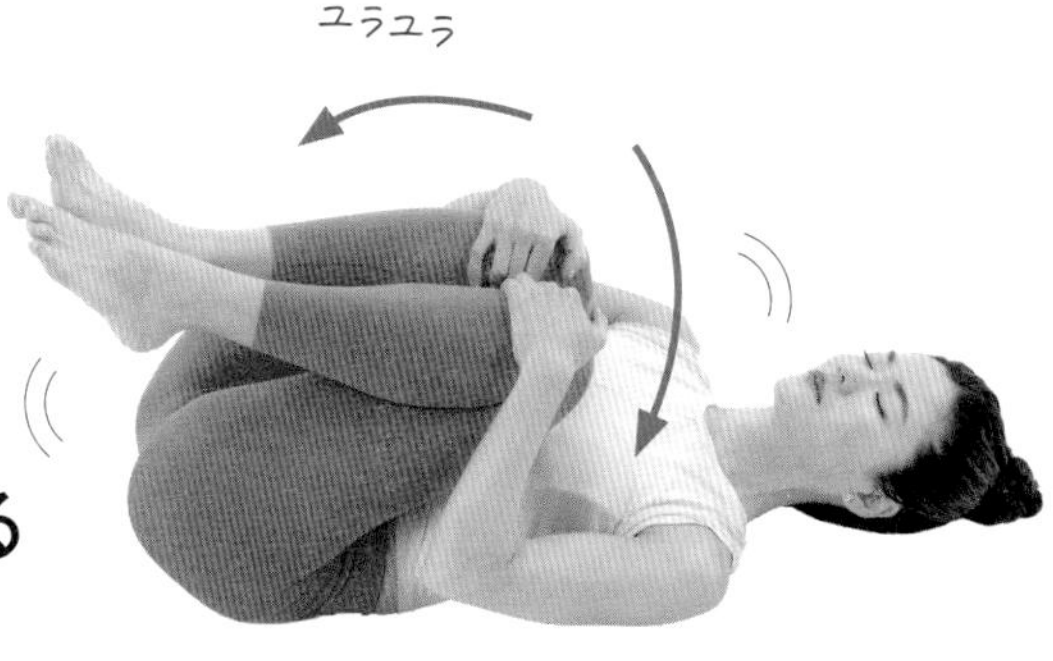
ユラユラ

43 32に戻り反対側も同様におこなう

※硬い側は長めにおこなう

STEP 7

20 MIN

30秒呼吸法

全身脱力。熟睡モードへ

お腹に手をそえながら
ふくらませる

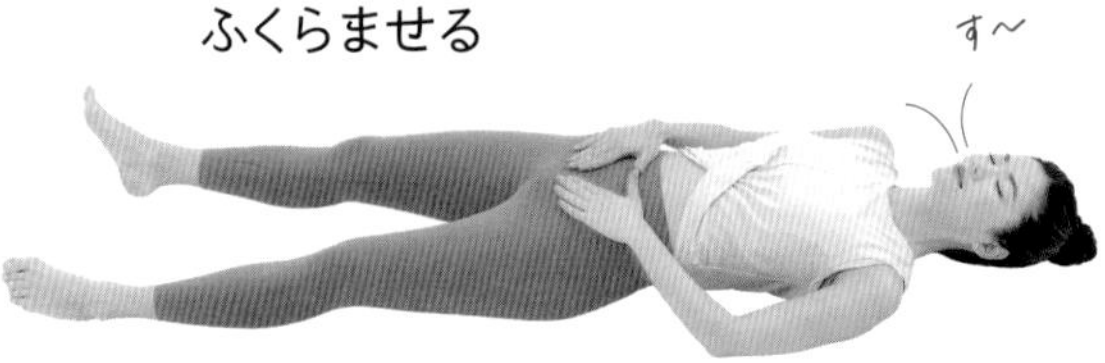

44

**10秒間
鼻から息を吸って**

★各秒数は7秒くらいでも OK

お腹のふくらみを
キープ

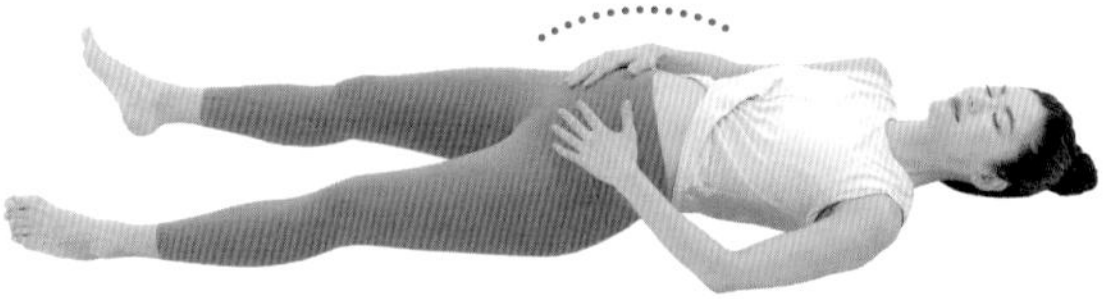

45

**10秒間
息を止める**

46

ゆっくり吐きながら
腰の力を抜いていく

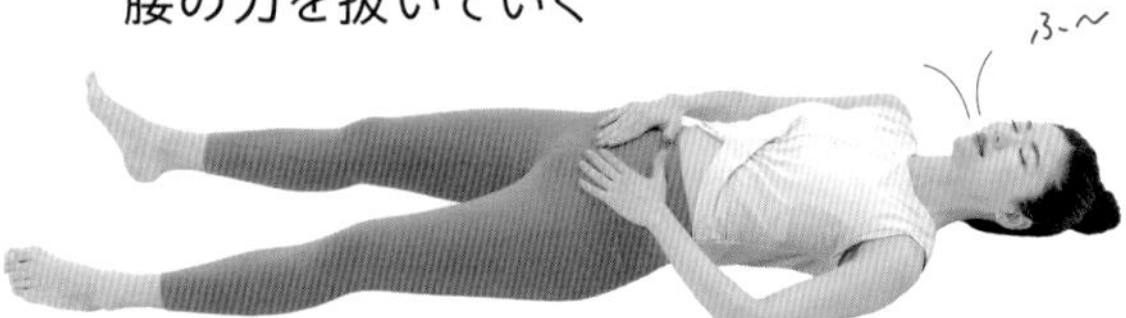

**10秒かけて
息を吐く**

★吐く時は口・鼻どちらでもよい

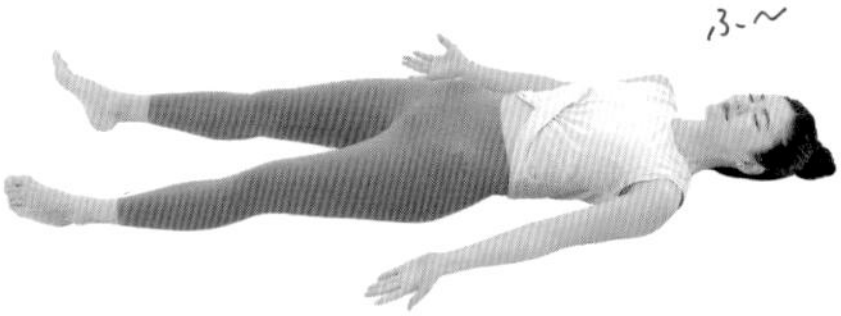

**両手を横におろし
そのまま休みましょう**

LESSON

4

自力整体で
お悩み解決!
知ってると役立つ
Q&A

慢性的な痛みや不調に
悩まされている人へ、
自力整体の視点で
今日からできることをアドバイス!

Q 1

自力整体をやっても「足腰の痛み」がよくなりません！

A1

「整食法」で胃腸を休めてみてください

自力整体で改善されない場合は、胃腸の疲れによる「経絡」の「気」の停滞を考えます。現代医学の場合「痛みは痛みが出た部位だけの問題」として処置をするのがほとんどですが、東洋医学では**「痛みは内臓の虚弱を表している」**と考え、**胃腸の疲れを取り除くことは痛みの解決につながる**としています。オススメは「整食法」（30ページ）です。３日ほどで内臓疲労は回復し足腰の痛みは和らぎます。並行して「あおむけで骨盤調整20分コース」（１０６ページ）で下肢の経絡のめぐりをよくするとよいでしょう。ひざの痛みにも有効です。

Q 2

「便秘」でお腹のハリがつらい！ 食物繊維をたっぷり摂ってるのにナゼ？

A 2

「何を食べるか」の考え方を捨てましょう

食べすぎ、食べてすぐ寝る、間食グセ、夜食グセなど、どれか当てはまりませんか？　胃腸が休みなくはたらきすぎると、内臓の疲弊とともに大腸の排泄力が落ちます。ですから食物繊維をたっぷり摂ったとしても、大腸は渋滞するばかり。ガンコな便秘に悩む人に必要なのは、**「何を食べるか」**ではなく、**「内臓が休息する時間＝食べない時間」をできるだけ長くとり、体を立て直すこと**です。今日からしばらく「整食法」をおこない、胃腸の休息時間を増やしましょう。早ければ明朝にも大量の便が出て、お腹はスッキリするはずです。

Q 3

自力整体は「ダイエット」もできますか？

A 3

はい。痛みや不調も解決しながら、健康的な適正体重になります

自力整体をおこなうと熟睡できるので、代謝や排泄力がアップ、**健康的にスリムになります。**やせにくい「固太り」の人も、筋肉が柔らかくなり血行がよくなるので、オススメです。**効果的なプログラムは「あおむけで骨盤調整20分コース」を週2、3回おこない、「整食法」をしばらく続けます。**やっている間は「体重」ではなく、「体調」の変化を観察しましょう。むくみが改善したり、便の排泄力が高まってきたら自然にやせていきます。このプログラムを実証した自力整体ダイエット体験者の体験談（134ページ）も参考にしてみてください。

Q4

ひどい「生理痛」に悩まされています

A4

「あおむけで骨盤調整20分コース」をしばらく続けてみてください

ひどい生理痛は体の異常を知らせるサインです。必ず婦人科医にご相談ください。そのうえで自力整体で手助けできることは、**骨盤（仙腸関節）の調整**です。ゆがみを解消することで血行を改善し痛みを解消していきます。ゆがみを放置すると、約28日周期で開閉する仙腸関節の動きが鈍くなり、ＰＭＳ（月経前症候群）にもなります。「あおむけで骨盤調整20分コース」や時間に余裕のない時は「股関節ほぐし」（48ページ）がオススメです。部屋を薄暗くして裸眼で過ごし、目からの刺激を抑えるのもよいでしょう（詳細131ページ）。

Q 5

夜中トイレに行きたくなったり何度も目が覚めてしまう

A 5

寝る前「骨盤をゆるめる」とよいでしょう

体は睡眠中、尿意を感じて目覚めることのないように、抗利尿ホルモンという尿量調整ホルモンがはたらきます。これは熟睡の状態で分泌されるため、眠りが深いと尿意で目覚めることはありません。とくにご高齢の方の夜間頻尿は眠りが浅いためです。そこで役立つのが、自力整体の熟睡ワークです。**とくに、骨盤（仙腸関節）まわりをゆるめるワークは脱力できて、気持ちよく朝まで熟睡できます**。「下半身の脱力」（76ページ）、「腰のユラユラほぐし」（52ページ）、「あおむけで骨盤調整20分コース」がオススメです。寝る前にお布団の上でおこなうとよいでしょう。

6

Q

自力整体をやっても熟睡できない。どうしたらよいですか？

A6

夜は照明を落とし裸眼で過ごしましょう

自力整体を寝る前におこなっても熟睡できない場合は、**夜はなるべく照明を落とし薄暗くして目を休めましょう。メガネやコンタクトの人は、家では裸眼で過ごせば疲れがとれます。**目の緊張をほぐすことで渋滞している全身の「経絡」の流れはスムーズになり、リラックスできます。**目は多くの経絡の通り道。**目と膀胱の経絡でつながる骨盤まわりの関節や筋肉の緊張もほぐれ、血流も改善します。生理痛や頭痛の緩和、むくみ解消にもオススメです。他にも「座ってほぐす3分コース」（84ページ）で自律神経の乱れを整えるとよいでしょう。

Q 7

「ぎっくり腰」をぶり返してつらい！

A 7

食べすぎ・飲みすぎの人は慢性的にぎっくり腰が出やすい傾向です

ぎっくり腰（急性の腰痛）は前兆としてお腹にハリが出ます。腸の動きが停滞する時に症状が出るからです。ぎっくり腰になる流れはこうです。食の不摂生などで胃腸が弱ると、腸の左下の「S状結腸」に滞留便が溜まります。すると大腸の奥にある腸腰筋が緊張。左右どちらかの仙腸関節は引っ張られはずれたようになり、痛みが出るというわけです。対処法としては**3日間朝昼晩「お粥」だけにして胃腸を休ませます**。胃腸の疲れがとれた時、大量の滞留便が排泄。その瞬間、腸腰筋の突っ張りがゆるみ、腰の痛みは和らぎます。

Q 8

自力整体の「骨盤の矯正効果」を確認する方法はありますか？

A 8

開脚座でラクに座れるかどうかが目安です

自力整体の前後に開脚座（写真）をおこなうと、骨盤まわりの硬さやゆがみをチェックできます。骨盤を立てることができず、腰が丸まってしまう人は、大腿骨につながる大腰筋が硬く緊張しています。**骨盤が立ち、ラクに座ることができれば、骨盤まわりが柔らかくなったサイン。ゆがみも整いやすくなります。**開脚のコツはお尻の穴を後ろ側へ向ける意識で。脚の可動域はムリしないこと。自力整体を続け、背骨に正常な前後のS字湾曲ができれば開脚座はよりスムーズになります。やりにくい人は背中を壁にあてましょう。

体験談

3ヵ月間実践した体験者さんたちのすごい結果！

3ヵ月間、「自力整体」と「整食法」を実施した結果です。

体重6kg減！ つらかった気管支喘息も改善！

高畑《たかはた》瑞恵《みずえ》さん　42歳　身長156cm　＊ビフォー・アフターは14ページ

前職では一日12時間働きながら仕事・家事・育児をこなしてきましたが、やがてストレスが溜まり、体重は10kg増加。さらに肩コリ、腰痛、両手首の腱鞘炎、気管支喘息、食物アレルギー、逆流性食道炎を発症。思い切って転職したタイミングで、このモニター企画に出合いました。3ヵ月間「自力整体」と「整食法」を実施。結果、**体重は6kg減、ウエストは10cm減、ヒップは6cm減のサイズダウン。同時に肩コリ、腰痛、慢性の気管支喘息も改善**していきました。矢上先生のご指導で一番印象に残った言葉は、**「手首に不調が出ると、肺に不調が出やすくなる」**という言葉です。実はスタート時、両手首は手術一歩手前の腱鞘炎を発症。実際に気管支喘息も悪化しており、こちらも入院寸前の症状だったので、先生の言葉は目からウロコでした。吸入と並行して自力整体をおこなったおかげで、**60歳だった肺年齢は、なんと21歳に。**私の場合、とくに印象的だったのは自力整体でおこなう「経絡」の刺激です。**いつでもどこでも気軽にできるので、今も助かっています。**そして最大の魅力は**「自分自身の些細な変化に気づくきっかけになる」**ということです。矢上先生、ご指導ありがとうございました。

東洋医学ではアレルギーや喘息、手首の腱鞘炎は手の「肺経」の異常とされているため、高畑さんには手の経絡をほぐすアドバイスをしました。骨盤調整も並行した結果サイズダウンにつながったのです。

体重6・2kg減！ ゆがみやアトピーも緩和！

櫻《さくら》井《い》史《ふみ》子《こ》さん　44歳　身長158cm　＊ビフォー・アフターは15ページ

私はもともと全身に力が入っていて、カチカチに硬い体でした。**骨盤はゆがみ、あおむけで寝ることすらできませんでした。**健康的にやせたいと思いウォーキングをしても、股関節に痛みがあるため歩幅は狭く、ペンギンのようなちょこちょこ歩きになり、「歩き方が変だ」と言われる始末。他にも腱鞘炎、肩コリ、アトピー、便秘、むくみ、慢性の疲労感に悩まされる日々。上半身もカチカチで深い呼吸もできません。スポーツジムやヨガ、整体など、様々なことをやってきましたが、硬くゆがんだ体のままでは、どれも結果は出ません。**「私はやせることはできない……」**。途方にくれていたところ、このモニター企画に出合いました。毎晩、20分間の自力整体をおこなうと、**硬かった筋肉はほぐれ、足の先まで血液が流れるのを実感。**一番驚いたのは、今まで横向きでしか寝られなかったのに、**骨盤のゆがみが解消されたことで、あおむけで気持ちよく寝られるようになった**ことです。「整食法」は慣れるまでは大変でしたが、**途中から毎日便意をもよおすようになり、老廃物の排泄のおかげでアトピーのかゆさも緩和されていきました。**食欲もコントロールできるようになり、3ヵ月後、なんと**体重は6・2kg減少。**これからも自力整体とともに人生を歩んでいきたいと思います。

櫻井さんへのアドバイスは筋肉内に老廃物が溜まって硬くなっている状態をいかに流していくかをテーマにしました。脂肪を落とすというより筋肉を柔らかくすることで、脂肪が落ちていったのです。

堂上《どのうえ》研《けん》さん　47歳　身長183.5cm　＊ビフォー・アフターは16ページ

体重8・9kg減！ 息子との富士山登山も達成！

息子が10歳になるタイミングで一緒に富士山登山にチャレンジしたい！　しかし20年以上ほとんど運動もせず暴飲暴食を繰り返していた僕には不安しかありませんでした。ピークの体重は89kg。社会人になった時は75kgくらいだったので、いかに暴飲暴食を繰り返していたかがわかります。ふだんの生活は、朝昼晩の食事とは別に、間食もあり、夜ごはんを2度食べることも日常でした。僕の仕事は会食も多く、ほぼ連日飲み歩いている状況。そんな時、モニター企画に出合ったのです。ほぼ毎日「自力整体」と「整食法」をおこない、自分の体と向き合いました。体の変化は如実に出ました。**体重はどんどん落ちていき、体も柔らかくなり、睡眠時間も増え、服を着ても腹が出ないので格好よく見えるように。**さっそく息子と富士山登山の予定日を決めたのです。当日、体重は6kg落とすことができていました。**登山は頂上まで行くことができ、目標達成！**自力整体に出合わなかったら、プラス6kgのおもり（贅肉）をつけて登っていたことになります。**息子と最高の思い出ができました。**最終日は**8・9kgの減量を達成！**　矢上先生には感謝しかありません。僕の3ヵ月間の自力整体の記録を赤裸々に綴ったブログがあります。ぜひご参考までにお読みください。

https://wellulu.com/blog/

堂上さんは高校のサッカー部で左ひざのじん帯を損傷してから、そこをかばうことで体が傾いていました。それを支えるためにお腹に脂肪がついていたのです。体幹もしっかりされてよかったです。

清《し》水《みず》冴《さ》奈《な》さん　23歳　身長155cm
＊ビフォー・アフターは17ページ

ウエスト11cm減！ボディラインが劇的に変化！

私は体が左右非対称、骨盤のゆがみ、ストレートネック、生理不順、冷え性など多くの悩みを抱えていました。自力整体を続けて3ヵ月後、体重は2・2kg減量と、少なくてもボディラインは劇的に変化。体重は2・2kg減量と、少なくても**ウエストは11cmも細くなり、左右非対称の体もまっすぐに。骨盤のゆがみも矯正されると、**ふつうに歩いていても腹筋とお尻に自然に力が入るようになり、**お尻が一回り小さくなりました。硬かった太もも裏・ふくらはぎの筋肉ものばせるようになり血流改善。**これからも自力整体を続けていこうと思います。

清水さんは腰椎の湾曲により右足に重心がかかり、体が傾き、その結果体幹の筋力も低下して、ウエストに脂肪がついていたのです。左右対称を目指したことでウエストの脂肪は落ちていきました。

島《しま》崎《ざき》和《かず》恵《え》さん　55歳　身長170cm
＊ビフォー・アフターは18ページ

冷たくて硬い体を克服したら体重5・7kg減！

私はもともとガッシリ体型で、体重は81・4kg。体は硬く、冷え性でした。さらに**「ぎっくり腰」**の痛みを繰り返しており、毎日鍼灸通い。自分の力で治したい！　そんな日々の中、モニター企画に出合いました。2ヵ月過ぎたころ、**老廃物が流れはじめ、ウエスト、脚、顔や首まわりもスッキリ。体も柔らかくなり、体温も上がって36度台に。最終的に5・7kgの減量に成功！**終了後のご褒美旅行で豪勢な食事が続き、家路に着くと胃の疲れからぎっくり腰の痛みが再発。**食べすぎは痛みにつながることを体感できました。**

島崎さんの課題は冷えでした。筋肉の血行不良から体が冷え、冷えから体を守るために防寒服として皮下脂肪がついていたのです。筋肉をほぐし血流改善、体温が上がったことが成功のカギでした。

体を柔らかくしたら減量成功！　更年期不調も改善

田上淳子《たがみじゅんこ》さん　56歳　身長157cm

ここ数年、近しい人たちを病気で失ったことで、自分の健康を見直すためモニター企画に応募。2ヵ月過ぎたころから**更年期に出やすいとされる「発汗」「めまい」の症状が消え、喘息の症状も出なくなりました。**体重は変わらず、途中、他の体験者さんが大幅に減量されているので不安になると、矢上先生から**「田上さんは体育会系のガッシリタイプ。体の柔らかさを目標にするとサイズダウンできますよ」**とアドバイスをいただきました。そのおかげで体重の増減に一喜一憂することなく、**柔らかさを目標に淡々とカリキュラムに取り組んでいたら自然とサイズダウン。3・6kgの減量に成功！**　はけなかったスカートもスルッと入るようになり、いいことずくめです。一生、自力整体を続けていきたいと思います。

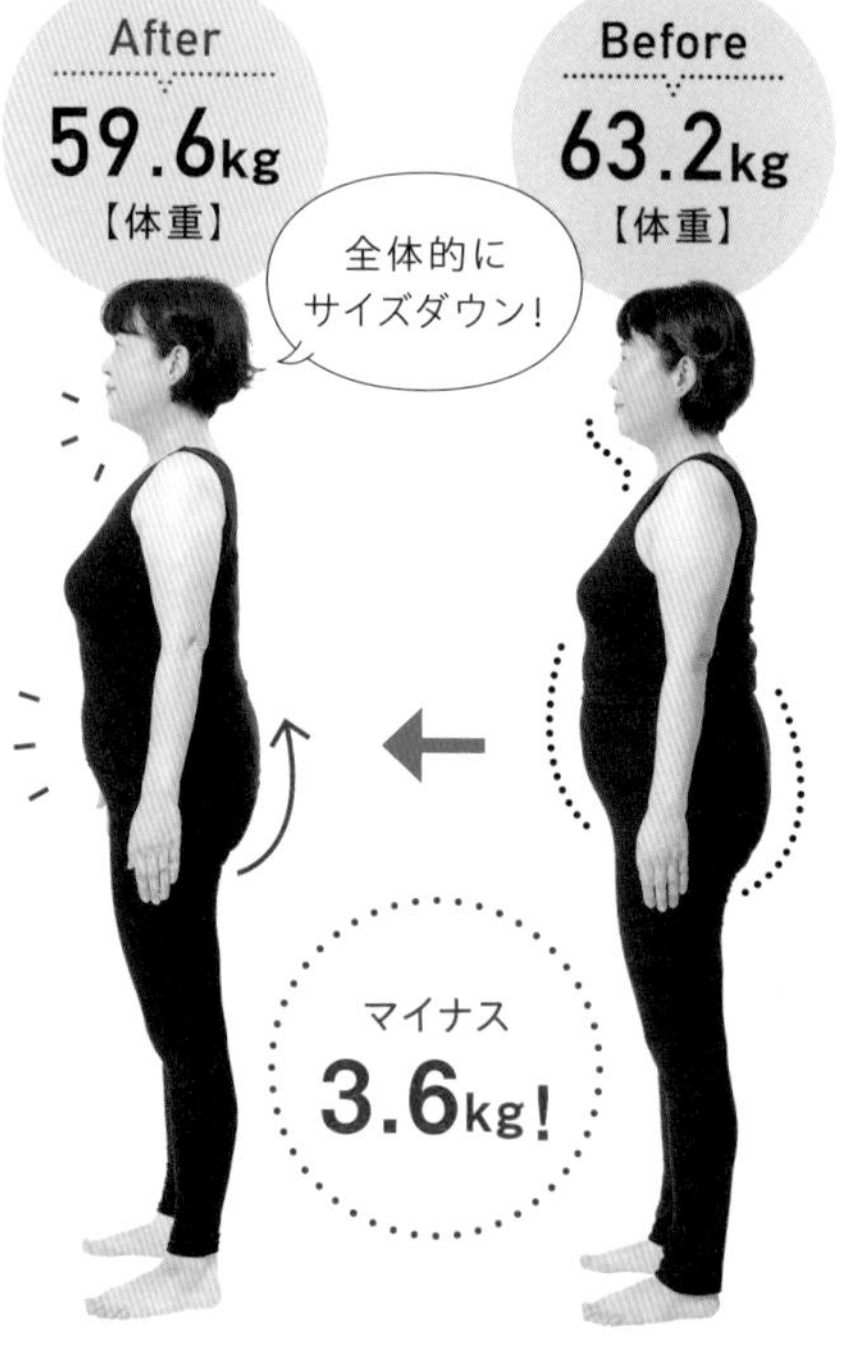

田上さんのように筋肉がしっかりついている方が減量すると健康的な筋肉まで落ち、基礎代謝や体力も落ちてしまいがちです。柔らかくほぐす方法を目指した結果、余分な脂肪だけが落ちていきました。

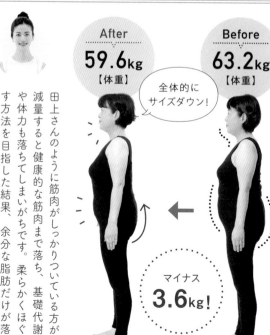

中野《なかの》皓太《こうた》さん　37歳　身長174cm

ウエスト16・5cm減！

首のヘルニアの痛みも軽減

年々目も当てられないほどだらしなくなっていく自分の腹を見て見ぬふりをしていたのですが、驚く結果が得られました。**体重は4・1kg減、なんとウエストは16・5cm減。**特筆すべきは数年前から**首のヘルニア**に悩まされ、右側肩甲骨付近の痛みがひどく、定期的にブロック注射を打ち、だましだまし過ごしていたのですが、**痛みが軽減！**　他にも**慢性的な腰痛や坐骨神経痛も驚くほど緩和**されました。ダイエット目的で応募したのに、**整骨院に頼らずとも、ある程度、不具合を自力で治せることに気づき感動**しました。モニター企画終了後、妻と娘に**「パパ、やせたね！」**とうれしい言葉をかけてもらいました。娘が大人になっても一緒にでかけてもらえるよう、だらしないパパにならないように、自力整体を続ける決心をしました。

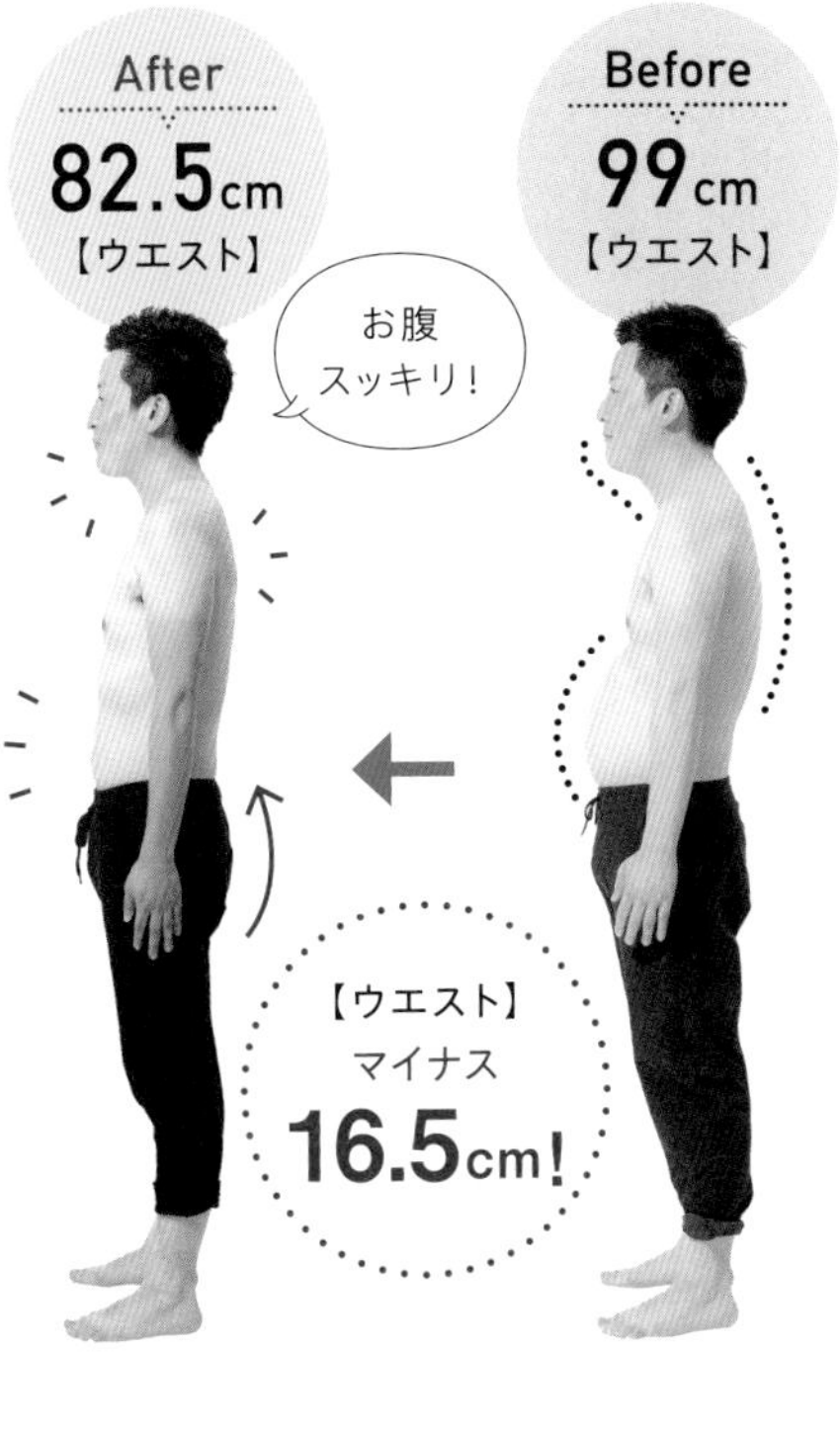

中野さんのお腹の贅肉はストレートネック、猫背、骨盤後傾によるものでした。それらを改善した結果、お腹は引き締まり、さらにゆがみによる神経圧迫、肩甲骨付近の痛み緩和につながったのです。

ウエスト14cm減！妊娠前の体型に戻った！

作田《さくた》美奈《みな》さん　39歳　身長157cm

　産後太り解消と坐骨神経痛の改善のためモニター企画に応募。難産により経膣分娩と開腹手術（帝王切開）をうけた結果、お腹まわりが硬くなり便秘がちに。さらに坐骨神経痛も発症し、旅行の移動や映画館などで長時間座っていられなくなり、困っていました。自力整体で骨盤まわりを柔らかくした結果、**体重は3・5kg減。ウエストはなんと14cm減！妊娠前の体型に戻り、坐骨神経痛や便秘も解消。**精神的には**ＰＭＳの波に振り回される回数が減りました。**自力整体はこれからも心強い味方になりそうです。

作田さんは出産で右の骨盤が上に傾いてしまい、長時間の運転や座業の際、左の坐骨神経が圧迫され痛みが出ていたので、右のお尻の下に1cmほどの敷物をすすめると、とても調子よくなられました。

寝込むほどつらかった生理痛やＰＭＳも改善！

伊藤《いとう》ふみさん（仮名）　45歳　身長157cm

　20年来、ＰＭＳと生理の不調に悩まされ、排卵期になると体と心が重くなり、ひどい時は仕事を3、4日休み、寝込んでしまうほどでした。自力整体を開始すると、体重は3ヵ月間で**2・7kg減量（この体験記の執筆時には合計8kg減量！）、ＰＭＳと生理痛も軽減され、仕事を休むこともなくなりました。朝までぐっすり眠れるようになったことで、疲れきっていた日常生活も充実。**休みの日はしっかり家の片付けもして、子どもと遊ぶ時間も増えました。私の人生を変えてくれた自力整体を続けていきたいと思います。

伊藤さんには「仙腸関節のゆがみを直す骨盤調整をおこないＰＭＳが改善されたら、正常な体重になりますよ」とアドバイス。その結果、悩みから解放され減量も成功。おだやかな日常を取り戻されました。

兵《ひょう》野《の》瑛祐《ようすけ》さん　27歳　身長182cm

「調子がよい」と感じながら一日過ごせるように

もともとやせ型ということもあり、体調不良の改善目的でチャレンジ。いわゆる自律神経の乱れによる不調に悩まされていましたが、**寝つきと目覚めがよくなることで「調子がよい」と感じながら一日を過ごせるようになりました。便秘も改善、**気がつけば腹囲もシャープに。肩や腕には筋肉がつき**「体つきがよくなった」**と言われるくらいに。**猫背とストレートネックも改善、できなかった開脚前屈もスムーズにできるくらい柔軟に。**不調を自己修正できる常備薬のように今後も継続していきたいです。

兵野さんは明らかに姿勢が変わりました。年齢とともに人は姿勢を維持する筋力が低下しますが、兵野さんはそれらの筋肉が復活。結果、体型のバランスがよくなり、たくましさを取り戻されたのです。

金澤《かなざわ》佑香《ゆうか》さん　39歳　身長165cm

胃腸の弱い「低体重」からムリせず体重が増えた！

このモニター企画では「体重を増やしたい人も募集」とあり、参加。体重は38・8kg、健康診断では「低体重」でひっかかるほど。胃腸が弱く逆流性食道炎や過敏性腸症候群などの症状で思うように食べることができず、やせ続けていました。それが3ヵ月後、**胃腸を壊す回数は減り、じわじわ体重は増え続け3kgほど増加。ムリをして食べるのではなく、体をまず立て直すことで、本来の自分らしい体に戻るのだなと実感しました。**体を**「ゆるめる」**ことができたのもポイントです。本当にありがとうございました。

金澤さんは栄養のあるものを多く食べ胃腸を酷使した結果、かえって胃腸が疲れ、やせていく悪循環にはまっていたので「食事間隔を空け胃腸を休ませる」方法をプラス。それが体重増につながりました。

EPILOGUE

私がかつてロンドンで心身ともに疲れ果て、人生のどん底にいた時、ふと自力整体の動きを思い出して、やってみようと思った瞬間がありました。目を閉じ、正座でひざを開いて、おでこを床におろし、両手でお腹をマッサージする動きです。この時に、「こんなに自分の体は緊張して、冷たくて硬かったのだ」ということに気づきました。この3分にも満たない動きをすることで、長い間外へ向いていた意識がはじめて、内側に向けられたのです。その体験から「私の体と心の声を聞いてあげなくちゃ」と感じて、自分自身と向き合って行動するきっかけとなり、人生が好転しはじめました。

もちろん、自力整体の構成には流れがあるので、本格的に実践するには、じっくりと時間をかけることが必要です。しかし、1分でも3分でもよいので、作業をしている手を止め、深呼吸をしながら疲れているところを癒やし、労《ねぎら》ってあげることで、いつもがんばっている体はきっと喜んでくれるはずです。その小さな心がけは、自分の内なる世界に変化をもたらし、そして必ず外の世界も変わっていきます。このメソッドが皆様の生活の一部となり、おだやかで幸せな毎日を送る手助けとなることを心より願っています。

今回の書籍のモニター企画をともにした皆様へ。仕事や育児を続けながら、今までの習慣を変え、時間とスペースを確保し、自力整体と整食法をふだんの暮らしに組み込むのは簡単なことではなかったと思います。一人もあきらめることなく、興味と好奇心をもって自身を観察しながら忍耐強く取り組んだことで、最後に全員が驚くべき結果を出したことに感動しました。３ヵ月間、私たちについてきてくださり、本当にありがとうございました。

ダイヤモンド社の担当編集者・土江英明氏、企画・構成の依田則子氏、カメラマンの榊智朗氏をはじめとした関係者の皆様。処女作から1年も経たぬうちに、ふたたび書籍化を実現できたことを大変光栄に思っております。改めて深く感謝いたします。

最後に、今年70歳を迎えた父へ。最近感じているのは「命には限りがある」ということです。だからこそ、今ある家族との時間をとても大切に、愛おしく感じています。父が半世紀をかけて培《つちか》ってきた、人が心身ともに健やかに過ごせるようになる方法を、残された時間で少しでも多く教わりたいと思います。そして、父の想いに、私の想いを重ねて、自力整体を必要としている人へ届けられるよう、これからも邁進《まいしん》してまいります。

２０２３年11月　矢上真理恵

［著者］
矢上 真理恵（やがみ・まりえ）

矢上予防医学研究所ディレクター
1984年、兵庫県生まれ。高校卒業後単身渡米、芸術大学プラット・インスティテュートで衣装デザインを学び、ニューヨークにて独立。成功を夢見て、徹夜は当たり前、寝るのはソファの上といった多忙な生活を続けた結果、心身のバランスをくずし動けなくなる。その時、父・矢上裕が考案し約15,000名が実践している「自力整体」を本格的に学び、心身の健康を取り戻し、その魅力を再発見。その後、自力整体ナビゲーターとして、カナダ、ヨーロッパ各地、イスラエルにて、クラスとワークショップを開催。さらに英国の名門セントラル・セント・マーチンズ大学院で「身体」をより体系的に学び、2019年に帰国。現在、国内外の人たちに自力整体を伝えながら、女性のための予防医学をライフワークにしている。著書に、『すごい自力整体』（ダイヤモンド社）がある。
自力整体オフィシャルウエブサイト　https://www.jirikiseitai.jp

［監修者］
矢上 裕（やがみ・ゆう）

矢上予防医学研究所所長、自力整体考案者、鍼灸師・整体治療家
1953年、鹿児島県生まれ。関西学院大学在学中の2年生のとき、予防医学の重要性に目覚め、東洋医学を学ぶため大学を中退。鍼灸師・整体治療家として活躍するかたわら、効果の高い施術を自分でできるように研究・改良を重ね「自力整体」を完成。兵庫県西宮市で教室を開講、書籍の出版やメディア出演などで注目され、全国から不調を抱える人々が続々と訪れるようになる。現在約500名の指導者のもと、約15,000名が学んでいる。著書に『自力整体の真髄』『はじめての自力整体』（ともに新星出版社）など多数。遠隔地の人のために、オンライン授業と通信教育もおこなう。

※自力整体は矢上裕の登録商標です。

すぐできる自力整体

2023年11月28日　第1刷発行
2024年2月1日　第3刷発行

著　者——矢上真理恵
監修者——矢上　裕
発行所——ダイヤモンド社
〒150-8409　東京都渋谷区神宮前6-12-17
https://www.diamond.co.jp/
電話／03･5778･7233（編集）　03･5778･7240（販売）

企画・構成—依田則子
装丁･本文デザイン—鈴木大輔、仲條世菜（ソウルデザイン）
撮影————榊智朗、Sam Spicer（P1）
動画編集——メディア・ストリーム
イラスト——Pikovit（P9、P73、P109、P117）、MamiCO（P29）、マツキヨ（P29、P48、P53、P65、P69）、鈴（P62）、川本まる（P65）、koti（P68）/ すべてPIXTA
黒眉メモ（P31）/ stock.adobe.com/jp
ヘアメイク—おおくさみつこ
衣装協力——yinyang（P1）
校正————聚珍社
製作進行——ダイヤモンド・グラフィック社
印刷————勇進印刷
製本————ブックアート
編集担当——土江英明

ISBN 978-4-478-11883-2
落丁・乱丁本はお手数ですが小社営業局宛にお送りください。送料小社負担にてお取替えいたします。但し、古書店で購入されたものについてはお取替えできません。

Printed in Japan
※QRコードは株式会社デンソーウェーブの登録商標です。